저희 아들은 『똑똑한 하루 독해』를 푸는 동안에
정말 멈출 수 없는 흥미로움과 재미에 빠져 있었습니다.
'더 하고 싶어. 더 풀고 자면 안 돼?'라는 말을 많이 듣게 해 준 독해서예요.
정말 즐겁게 잘 풀어 준 교재라 저는 더할 나위 없이 좋았네요.
다시 한 번 더 정말 너무너무 감사드리고 『똑똑한 하루 독해』를 빨리 만나 보고 싶어요.

– 『똑똑한 하루 독해』 검토단 이은주(초등학교 3학년 학생 부모님)

#홈스쿨링
#혼자공부하기

똑똑한
하루 독해

Chunjae Makes Chunjae

▼

[똑똑한 하루 독해] 3단계 A

편집개발 이문태, 이재인, 김민숙, 김효진, 박지윤
디자인총괄 김희정
표지디자인 윤순미
내지디자인 박희춘, 임용준
제작 황성진, 조규영

발행일 2021년 11월 15일 2판 2024년 10월 1일 6쇄
발행인 (주)천재교육
주소 서울시 금천구 가산로9길 54
신고번호 제2001-000018호
고객센터 1577-0902

※ 정답 분실 시에는 천재교육 교재 홈페이지에서 내려받으세요.
※ KC 마크는 이 제품이 공통안전기준에 적합하였음을 의미합니다.
※ 주의
책 모서리에 다칠 수 있으니 주의하시기 바랍니다.
부주의로 인한 사고의 경우 책임지지 않습니다.
8세 미만의 어린이는 부모님의 관리가 필요합니다.

3단계 A 공부할 내용 한눈에 보기!

1주

2주

똑똑한 하루 독해를 함께 할 친구들을 소개합니다.

나리

피오

사람들과 친구가 되어 함께 살아가기로 결정한 괴물들! 괴물보다 무서운 말괄량이 소녀 나리를 만나 함께 독해력을 키우고 다양한 글을 읽으며 인간 세상을 알아 가기로 했어요.

✂ 자르는 선

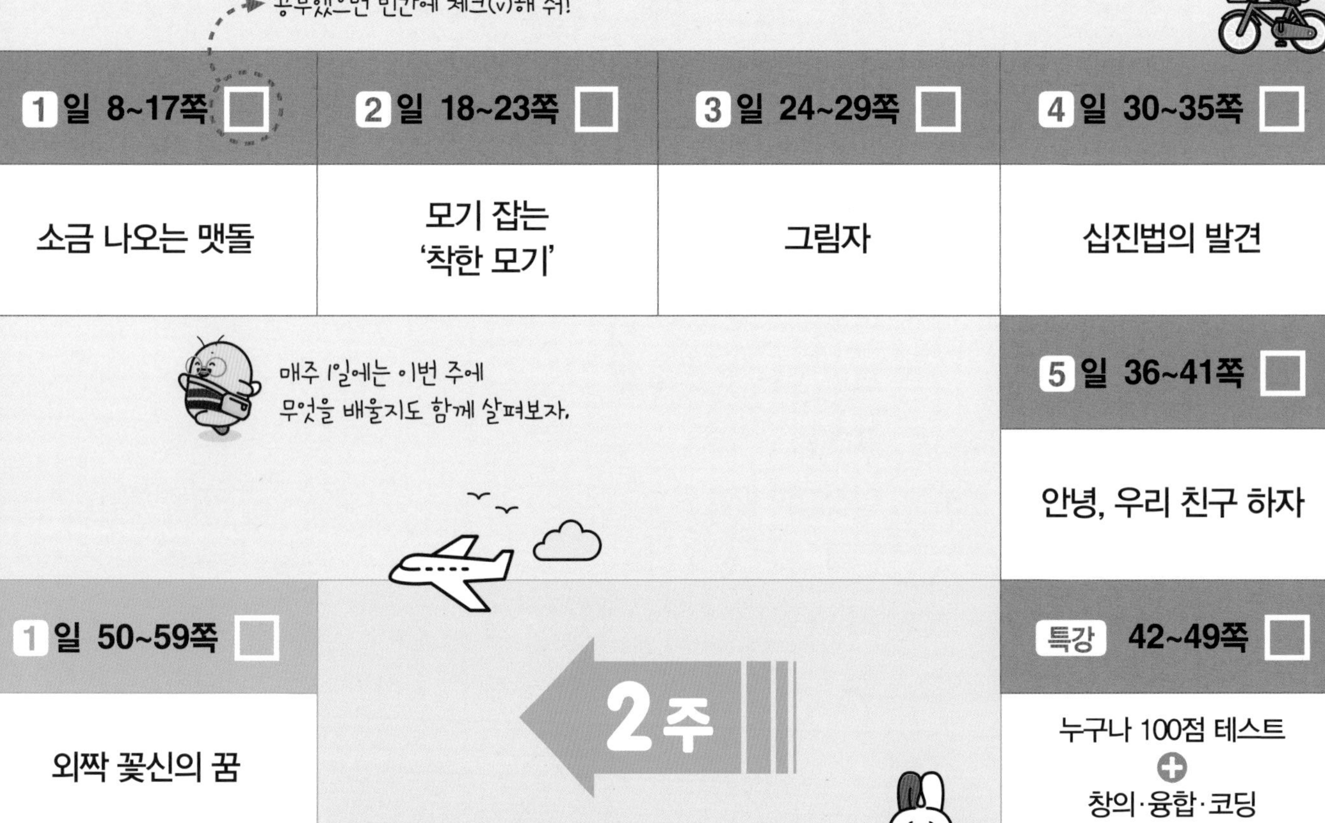
공부했으면 빈칸에 체크(v)해 줘!
1일 8~17쪽
소금 나오는 맷돌
2일 18~23쪽
모기 잡는 '착한 모기'
3일 24~29쪽
그림자
4일 30~35쪽
십진법의 발견
매주 1일에는 이번 주에 무엇을 배울지도 함께 살펴보자.
5일 36~41쪽
안녕, 우리 친구 하자
1일 50~59쪽
외짝 꽃신의 꿈
2주
특강 42~49쪽
누구나 100점 테스트
창의·융합·코딩
한 주 끝! 다음 주도 열심히 하자!

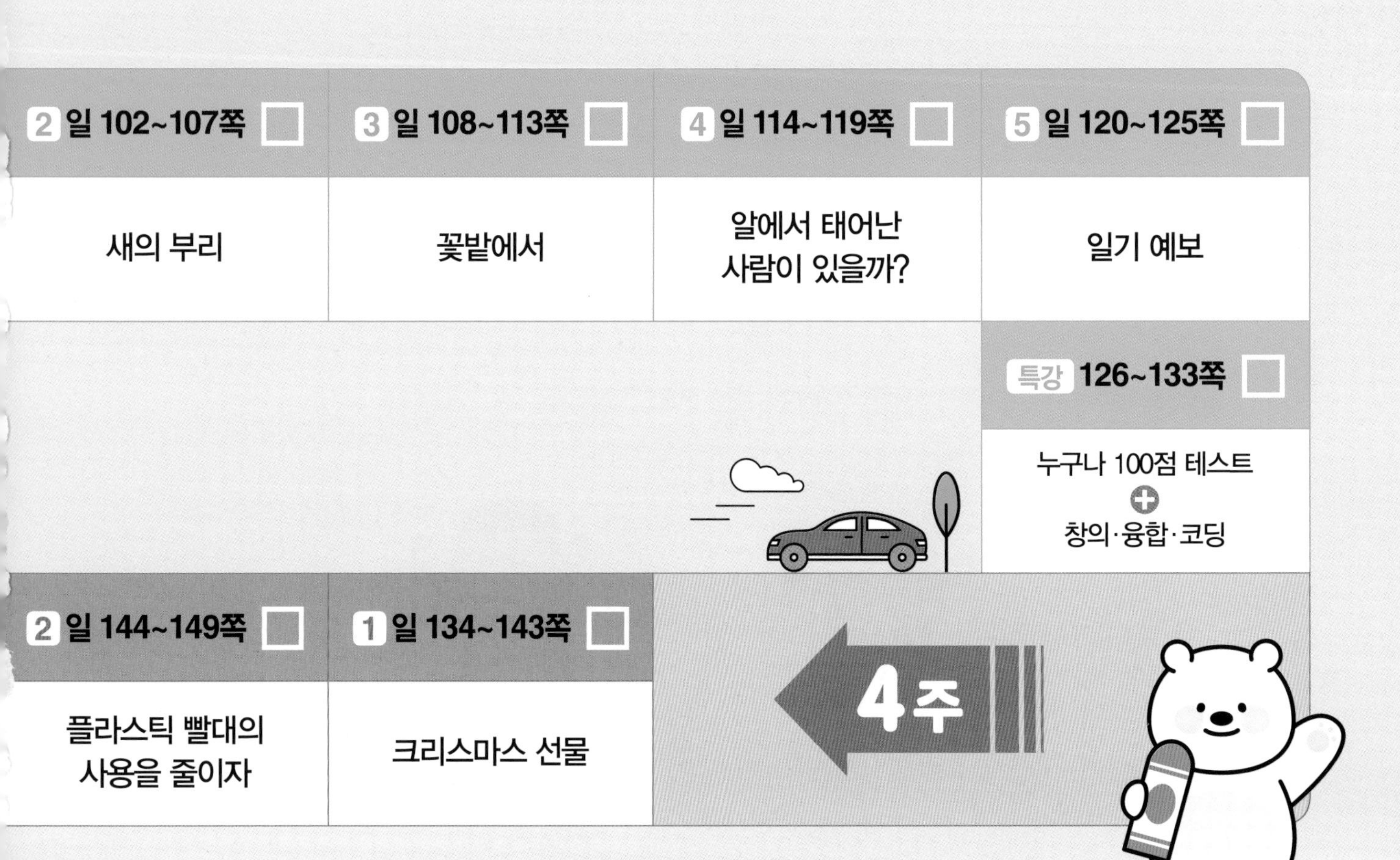
2일 102~107쪽
새의 부리
3일 108~113쪽
꽃밭에서
4일 114~119쪽
알에서 태어난 사람이 있을까?
5일 120~125쪽
일기 예보
특강 126~133쪽
누구나 100점 테스트
창의·융합·코딩
2일 144~149쪽
플라스틱 빨대의 사용을 줄이자
1일 134~143쪽
크리스마스 선물
4주

자르는 선

똑똑한 하루 독해

3단계 A 스케줄표

5일 78~83쪽 ☐	4일 72~77쪽 ☐	3일 66~71쪽 ☐	2일 60~65쪽 ☐
양치질을 바르게 해요	빙글빙글 강강술래	오즈의 마법사	펭귄은 새일까? 아닐까?

특강 84~91쪽 ☐
누구나 100점 테스트 + 창의·융합·코딩

1일 92~101쪽 ☐
차이나타운에 다녀와서

특강 168~175쪽 ☐	5일 162~167쪽 ☐	4일 156~161쪽 ☐	3일 150~155쪽 ☐
누구나 100점 테스트 + 창의·융합·코딩	지하철 유실물 신고 안내	조상의 슬기가 담긴 한옥	올빼미의 눈

3주

4주

흡혈귀이지만 겁쟁이인 피오, 헛똑똑이 마이크, 겉모습과 달리 상냥하고 부끄러움 많은 프랑!
괴물 친구들이 나리와 함께 열심히 독해력을 키워 나가는 모습을 지켜봐 주세요.

독해? 독해!

독해가 뭐예요?

다들 '독해, 독해' 하는데 독해가 뭐예요?

글자를 읽기만 하는 게 아니라
진짜 이해하여 내 지식으로 만드는 것이 독해예요!

그럼 독해는 국어인가요?

독해는 그냥 국어만이 아니에요. 읽고 이해하는 독해가 안되면 수학 문제도 풀 수 없어요. 이처럼 독해는 모든 과목 공부를 잘하기 위한 기초랍니다. 독해를 통해 모든 과목의 지식을 내 것으로 만드는 방법을 배워야 해요.

글 읽고 문제만 계속 풀면 독해 공부가 되나요?

무조건 글 읽고 문제만 푼다고 독해 공부가 잘될 리 없지요. 『똑똑한 하루 독해』로 공부해 보세요. 먼저 어휘를 익히고 시나 이야기뿐만 아니라 수학, 사회, 과학, 역사, 예술은 물론 생활 속 글까지 다양하게 읽어 보세요. 그리고 어휘 심화 문제와 게임으로 실력을 다져요. 이해도 쑥쑥 되고 지루할 틈이 없겠지요?

이 책의 특징과 장점

똑똑한 하루 독해로
똑똑해지자!

똑똑한 하루 독해 !

왜 똑똑한 하루 독해일까요?

1. **10분이면 하루 독해 끝!** 쉽고 재미있는 독해 공부!
2. **어휘로 준비하고 어휘로 마무리!** 어휘력 쑥! 독해력 쑤욱!
3. **'문학 · 비문학 · 실생활' 알짜 지문!** 하루하루 다양하고 즐거운 독해!
4. **독해 최초 생활 속 독해, 생활 어휘, 생활 한자!** 생활 맞춤 실용 독해 완성!
5. **똑똑한 독해 게임으로 사고력 넓히기!** 창의 · 융합 독해력 팍팍!

이 책의 구성과 활용

주 도입

한 주 동안 매일 공부할 글의 제목과 내용을 만화로 미리 살펴 보고, 한 주의 독해 속 어휘를 만화와 문제로 확인합니다.

독해 코스

독해 개념과 필수 어휘 미리 익히기

재미있는 만화로 학습 목표와 핵심 독해 개념을 익히고, 지문 속 핵심 어휘를 간단한 문제로 미리 익히며 독해를 준비합니다.

실전 독해와 다양한 유형의 핵심 문제 풀기

여러 영역의 글을 읽고 다양한 유형의 문제로 독해를 완성합니다. 서술형 문제로 쓰기 연습을 해 보고, '스스로 독해 해결!' 문제로 자기 주도 학습 능력을 키웁니다.

똑똑한 **하루 독해** 어휘

어휘 문제로 마무리하기

글에 쓰인 어휘를 문제로 다시 한번 확인하고 비슷한말, 반대말 등 관련 어휘 학습으로 어휘력을 넓힙니다.

똑똑한 **하루 독해** 게임

게임으로 독해력 넓히기

재미있는 독해 게임으로 독해력을 넓히고 하루의 독해 학습을 마무리합니다.

누구나 100점 테스트와 주 특강으로 한 주의 독해를 마무리해 봅니다.

주 마무리

누구나 100점 테스트

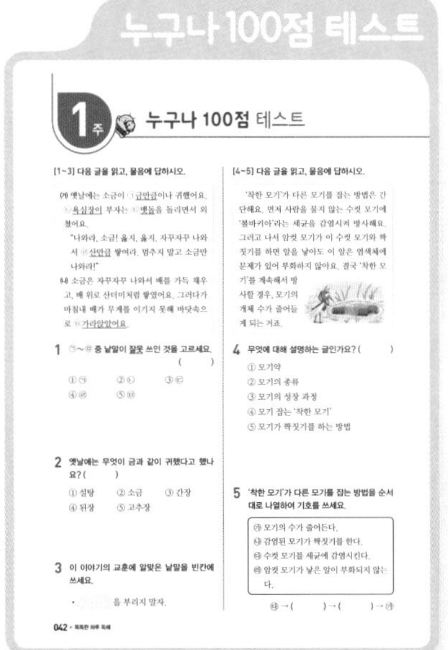

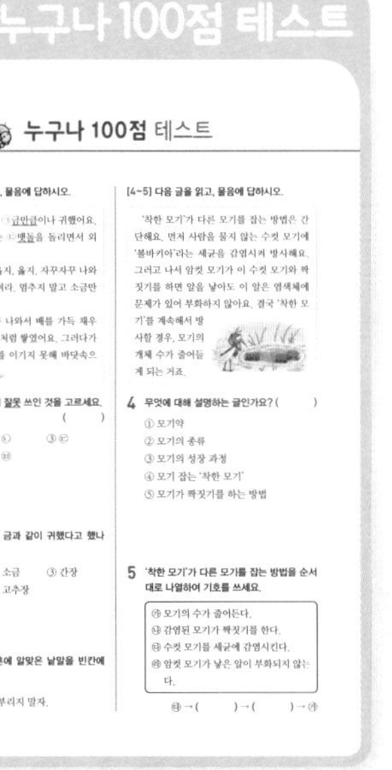

주 특강 창의·융합·코딩

누구나 100점 테스트

한 주 동안 공부한 내용을 평가해 보며 독해 실력을 확인하고, 독해에 대한 자신감을 키웁니다.

주 특강 창의·융합·코딩

다양한 형식의 창의 • 융합 • 코딩 미션을 해결하며 한 주의 중요 어휘를 확인하고 다양한 배경지식을 넓힙니다.

친구들과 약속해요!

우리 같이 약속해요!

첫째, 하루하루 빠짐없이 꾸준히 공부하기!

둘째, 하루 독해 문제 끝까지 다 풀기!

셋째, 틀린 문제는 왜 틀렸는지 다시 한번 확인하기!

약속하는 사람 ______________

쉽고 재미있는

『똑똑한 하루 독해』로

독해 공부를 시작해 봐요.

똑 똑 한

하루 독해

3 단계 A

2~3학년

1주

1주에는 무엇을 공부할까? ①

1일 소금 나오는 맷돌

2일 모기 잡는 '착한 모기'

3일 그림자

4일 십진법의 발견

5일 안녕, 우리 친구 하자

1주 1주에는 무엇을 공부할까? ②

1-1 다음 문장에 넣을 바른 낱말을 골라 ○표를 하세요.

(욕심장이 , 욕심쟁이) 부자는 계속해서 맷돌을 돌렸어요.

1-2 친구가 쓴 문장 에서 밑줄 그은 낱말을 바르게 고쳐 쓰세요.

친구가 쓴 문장

내 친구는 <u>욕심장이</u>라서 맛있는 음식을 혼자 다 먹는다.

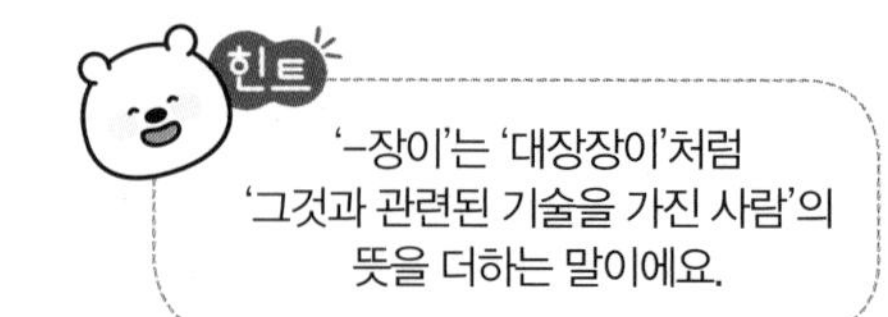

욕 심 장 이 ➡ □□□□

▶ 정답 및 해설 8쪽

2-1 다음 문장에 들어갈 바른 낱말을 보기 에서 골라 쓰세요.

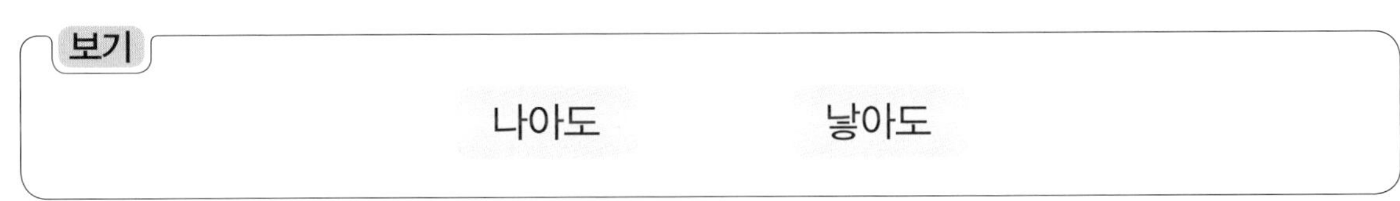

보기

나아도　　　낳아도

암컷 모기가 이 수컷 모기와 짝짓기를 하면 알을 (　　　) 이 알은 염색체에 문제가 있어 부화하지 않아요.

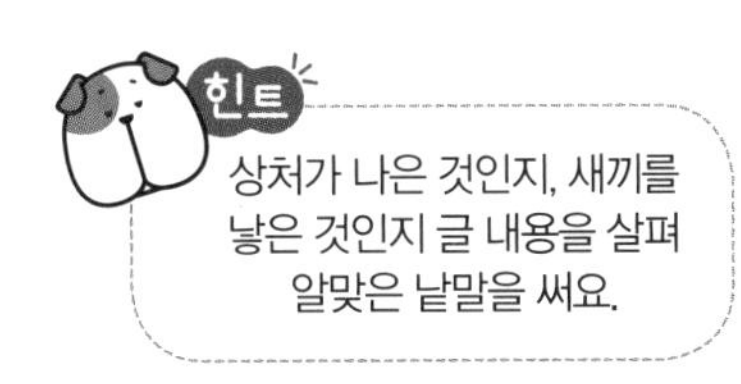

2-2 다음 문자 메시지에서 밑줄 그은 낱말을 바르게 고친 것에 ○표를 하세요.

얘들아, 우리 집 닭이 드디어 알을 <u>나았어</u>.

(1) 나왔어　　(　　　)

(2) 낳았어　　(　　　)

1주 1일

이야기 (문학)

소금 나오는 맷돌

공부한 날 월 일

이야기의 교훈을 찾아라!

이야기 「소금 나오는 맷돌」이 주는 교훈을 생각해 보세요.

이야기의 교훈은 이야기 속 인물이 한 일과 그렇게 한 까닭을 알아보고,

인물이 그 일을 한 결과가 어떻게 되었는지 살펴보면 찾을 수 있어요.

▶정답 및 해설 8쪽

오늘 공부할 글과 그림을 미리 보고, 알맞은 낱말을 각각 찾아 표시하세요.

욕심쟁이 부자는 계속해서 맷돌을 돌렸어요. 거기가 바다 한가운데라는 것도 잊어버리고 말이에요.

소금은 자꾸자꾸 나와서 배를 가득 채우고, 배 위로 산더미처럼 쌓였어요.

1 '곡식을 가는 데 쓰는 기구.'라는 뜻의 낱말을 찾아 ○표를 하세요.

2 '물건이 많이 쌓여 있음을 빗대어 이르는 말.'이라는 뜻의 낱말을 찾아 △표를 하세요.

바닷물이 짠 이유 알아보기

소금 나오는 맷돌

스스로 독해

욕심쟁이 부자는 어떻게 되었나요? 그렇게 된 까닭은 무엇인가요? 점선 부분을 따라 선을 그으며 읽고 이 이야기의 교훈을 생각해 보세요.

옛날에는 소금이 ㉠금만큼이나 귀했어요. 욕심쟁이 부자는 ▾맷돌을 돌리면서 외쳤어요.

"나와라, 소금! 옳지, 옳지. 자꾸자꾸 나와서 산만큼 쌓여라. 멈추지 말고 소금만 나와라!"

욕심쟁이 부자의 ㉡말 대로 하얀 소금은 맷돌에서 자꾸 나와서 배에 금방 가득 찼어요. 그래도 욕심쟁이 부자는 계속해서 맷돌을 돌렸어요. 거기가 바다 한가운데라는 것도 ▾잊어버리고 말이에요.

소금은 자꾸자꾸 나와서 배를 가득 채우고, 배 위로 ▾산더미처럼 쌓였어요. 그러다가 마침내 배가 무게를 이기지 못해 바닷속으로 가라앉았어요.

욕심쟁이 부자는 바다에 빠져서 죽고 말았지요. 그런데 바닷속에 빠진 맷돌은 멈추지 않고 계속해서 스륵스륵 돌아갔어요. 그래서 바닷물이 지금처럼 짜게 되었답니다.

어휘 풀이

- ▾**맷돌** 곡식을 가는 데 쓰는 기구.
- ▾**잊어버리고** 기억하여 두어야 할 것을 한순간 전혀 생각하여 내지 못하고.
  - ㉺ 지갑 가져가는 것을 깜빡 잊어버리고 시장에 갔다.
- ▾**산**|산 산 山|**더미** 물건이 많이 쌓여 있음을 빗대어 이르는 말.
  - ㉺ 쓰레기가 산더미처럼 쌓여 있었다.

▲ 맷돌

▶ 정답 및 해설 8쪽

1 문법

㉠과 ㉡ 중, 바르게 띄어 쓴 것을 골라 ○표를 하세요.

(1) ㉠ 금 만 큼 (　　)

(2) ㉡ 말 　 대 로 (　　)

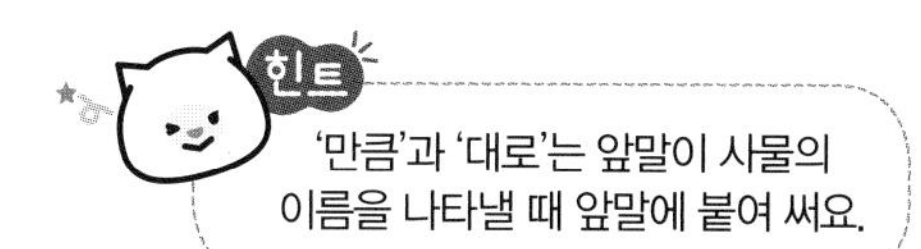

2 이해

스스로 독해 해결!

이 이야기의 교훈으로 가장 알맞은 것은 무엇인가요? (　　　)

① 욕심을 부리지 말자.
② 소금을 귀하게 여기자.
③ 이웃과 사이좋게 지내자.
④ 바다에서 위험한 행동을 하지 말자.
⑤ 바다에 물건을 빠뜨리지 않도록 조심하자.

3 이해

서술형

욕심쟁이 부자가 맷돌을 돌려 소금이 나오게 한 까닭은 무엇인지 쓰세요.

옛날에는 ________________________________

____

4 요약

이 글에서 일어난 일을 정리하여 빈칸에 알맞은 말을 각각 쓰세요.

욕심쟁이 부자는 바다 한가운데에서 맷돌을 돌려서 ❶ [　　] 이 계속 나오게 하였다. → 소금이 배 위로 산더미처럼 쌓여 배가 가라앉았고 욕심쟁이 부자는 바다에 빠져 죽었다. → 바닷속에 빠진 ❷ [　　] 이 멈추지 않고 돌고 있어서 바닷물이 짜게 되었다.

▶ 정답 및 해설 8쪽

1 다음 만화를 잘 보고 「소금 나오는 맷돌」의 내용에 알맞은 낱말을 골라 ○표를 하세요.

욕심쟁이 부자는 바다 한가운데에 있다는 사실을 (잃어버렸다 , 잊어버렸다).

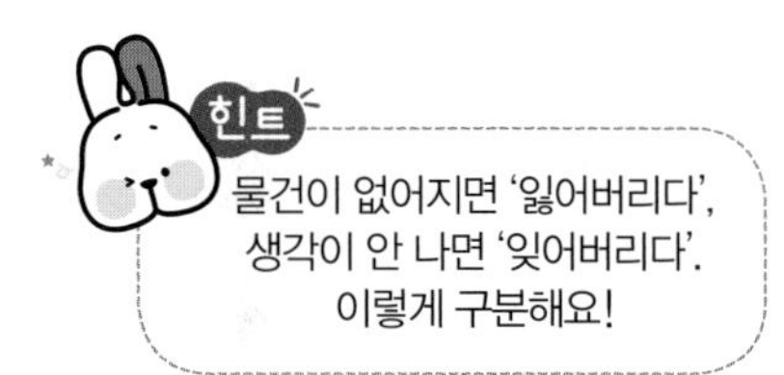

2 다음 설명을 잘 읽고 빈칸에 '쟁이'와 '장이' 중 알맞은 말을 각각 골라 쓰세요.

-쟁이 '어떤 특성이 있는 사람'이라는 뜻을 더하는 말. ㉠ 욕심쟁이, 수다쟁이

-장이 '어떤 기술이 있는 사람'이라는 뜻을 더하는 말. ㉠ 구두장이, 도배장이

(1) 고집 ☐☐	(2) 대장 ☐☐	(3) 옹기 ☐☐	(4) 개구 쟁 이
고집이 센 사람.	대장간에서 쇠를 달구어 칼이나 낫, 호미 같은 연장을 만드는 사람.	옹기 만드는 일을 직업으로 하는 사람.	심하고 짓궂게 장난을 하는 아이.

▶정답 및 해설 8쪽

◉ 다음 냥이의 말에서 기호가 나타내는 낱자가 무엇인지 알아보고, 이야기 속 욕심쟁이 부자를 통해 얻을 수 있는 교훈을 빈칸에 쓰세요.

기호	♣	♥	★	♠	◆	◈
나타내는 낱자	ㄱ	ㅛ	ㅁ	ㅇ	ㅣ	ㅅ

교훈 ______ 을 부리지 마세요!

「소금 나오는 맷돌」에서 욕심쟁이 부자가 바다에 빠져 죽은 까닭을 통해 **이 이야기의 교훈**을 다시 한번 새겨 볼 수 있습니다.

1주 2일

과학 (비문학)

모기 잡는 '착한 모기'

공부한 날 월 일

일의 순서대로 정리하자!

「모기 잡는 '착한 모기'」를 읽고 일의 순서대로 정리해 보세요.
'착한 모기'가 어떻게 모기를 잡는지 알 수 있어요.
일의 순서대로 정리하려면 '먼저', '그러고 나서' 등
차례를 알려 주는 말을 찾으면 된답니다.

뚝뚝한
하루 독해 미리 보기

▶정답 및 해설 9쪽

◎ 오늘 공부할 글의 그림을 미리 보고, 빈칸에 알맞은 낱말을 각각 찾아 쓰세요.

❶ 세균을 감염시킨 수컷 모기를 방사함.

❷ 감염된 모기는 짝짓기를 함.

❸ 알은 염색체 문제로 부화하지 않음.

❹ 모기의 개체 수가 줄어듦.

개체 방사 부화

'착한 모기'가 모기를 잡는다고요? 수컷 모기에 '볼바키아'라는 세균을 감염시켜

❶ ☐☐ 하는 방법으로 모기의 ❷ ☐☐ 수를 줄이는 거예요.

↳가두거나 매어 두지 않고 놓아서 기름.

↳하나의 독립된 생물체. 살아가는 데에 필요한 독립적인 기능을 갖고 있음.

모기가 모기를 잡는다고?

모기가 피를 빨아 먹는 이유 알아보기

모기 잡는 '착한 모기'

스스로 독해

'착한 모기'가 어떻게 모기를 잡는 걸까요? 점선 부분을 따라 선을 그으며 읽어 보고 그 방법을 정리해 봐요.

사람이나 다른 곤충에 해를 끼치지 않고 모기만 골라 죽이는 '착한 모기'가 미국에서 판매될 예정이에요.

'착한 모기'가 다른 모기를 잡는 방법은 간단해요. 먼저 사람을 물지 않는 수컷 모기에 '볼바키아'라는 세균을 감염시켜 방사해요. 그러고 나서 암컷 모기가 이 수컷 모기와 짝짓기를 하면 알을 ㉠나아도 이 알은 염색체에 문제가 있어 부화하지 않아요. 결국 '착한 모기'를 계속해서 방사할 경우, 모기의 개체 수가 줄어들게 되는 거죠.

이 방법은 나비나 꿀벌 같은 곤충도 함께 죽이는 기존의 화학 성분 모기약과 달리 모기만을 골라 공격하기 때문에 생태계에 미치는 영향도 적어요.

어휘 풀이

▾ **방사** | 놓을 방 放, 먹일 사 飼 | 가두거나 매어 두지 않고 놓아서 기름.
㉠ 치료가 끝난 아기 수달을 야생으로 방사하였다.

▾ **염색체** | 물들일 염 染, 빛 색 色, 몸 체 體 | 유전자를 지니고 있어서 유전이나 성을 결정하는 데 중요한 역할을 하는 물질. ㉠ 사람의 성별을 가르는 염색체가 따로 있다.

▾ **부화** | 알 깔 부 孵, 될 화 化 | 동물의 알 속에서 새끼가 껍데기를 깨고 밖으로 나옴. 또는 그렇게 되게 함.
㉠ 아무리 기다려도 달걀 하나는 부화하지 않았다.

▾ **개체** | 낱 개 個, 몸 체 體 | 하나의 독립된 생물체. 살아가는 데에 필요한 독립적인 기능을 갖고 있음.
㉠ 꿀벌의 개체 수가 점점 줄고 있다.

▶정답 및 해설 9쪽

1 어휘

㉠을 바르게 고쳐 쓴 것은 무엇인가요? (　　　)

① 나서도　② 낫아도　③ 났어도
④ 난아도　⑤ 낳아도

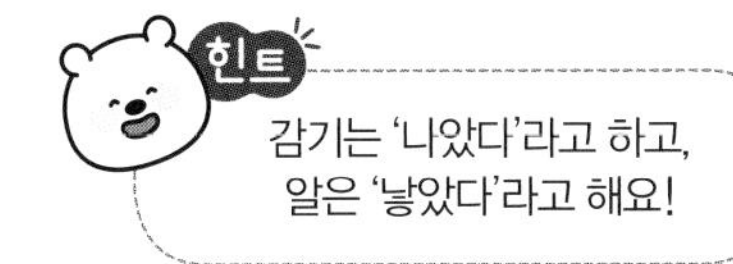

2 이해

어떤 소식을 알리는 글인지 빈칸에 알맞은 말을 쓰세요.

> 사람이나 다른 곤충에 해를 끼치지 않고 모기만 골라 죽이는 '착한 　　'가 미국에서 판매될 예정이다.

3 이해

서술형

'착한 모기'로 모기를 잡는 것이 기존의 화학 성분 모기약과 다른 점은 무엇인지 쓰세요.

> 기존의 화학 성분 모기약은 나비나 꿀벌 같은 곤충도 함께 죽이지만, '착한 모기'는 ______________________

4 요약

스스로 독해 해결!

이 글의 중심 내용을 정리하여 빈칸에 알맞은 말을 각각 쓰세요.

'착한 모기'가 모기를 잡는 방법

❶ '볼바키아' 세균을 감염시킨 수컷 　　 를 방사한다.

❷ 감염된 수컷 모기는 암컷 모기와 　　　 를 한다.

❸ 암컷 모기가 낳은 알은 염 색 체 에 문제가 있어 부화하지 않는다.

❹ 모기의 개체 수가 줄어든다.

▶ 정답 및 해설 9쪽

1

다음 설명을 잘 읽고 「모기 잡는 '착한 모기'」의 내용에 알맞은 낱말을 각각 찾아 ○표를 하세요.

안 '아니'의 준말.
예 • 아직 안 잔다. • 숙제를 안 했다.

않다 앞말이 뜻하는 행동을 안 했다는 뜻을 나타내는 말.
예 • 잠을 자지 않다. • 숙제를 하지 않다.

(1) 수컷 모기는 사람을 (안 , 않) 문다.

(2) '착한 모기'와 짝짓기를 해 낳은 알은 부화하지 (안 , 않)는다.

힌트
뒤에 나오는 행동을 하지 않으면 '안',
앞에 나오는 행동을 하지 않으면 '않'을 써요.

2

다음 문장의 밑줄 그은 낱말과 뜻이 반대인 낱말을 찾아 각각 선으로 이으세요.

(1) 매미는 수컷만 운다. • • 구매

(2) 새로운 모기약을 판매 중이다. • • 암컷

(3) 코끼리의 개체 수가 줄어들었다. • • 늘어났다

▶정답 및 해설 9쪽

● '착한 모기'에 대해 알았으니 이번에는 우리를 무는 모기에 대해서 알아볼까요? 다음 만화를 잘 읽고 문장에 알맞은 말을 골라 ◯표를 하세요.

(1) (암컷 , 수컷) 모기가 사람의 피를 빨아 먹는 까닭은 알을 낳기 위한 (2) (장소 , 영양분)이/가 필요해서이다.

「모기 잡는 '착한 모기'」의 내용을 떠올리며 **사람이나 동물의 피를 빨아 먹는 모기와 그 까닭**에 대해 더 알아봅니다.

1주 3일

동시 (문학)

그림자

공부한 날 월 일

시의 중심 글감을 찾아라!

동시 「그림자」를 읽고 중심 글감을 찾아보세요.
나리가 낸 수수께끼의 답을 알 수 있어요.
시의 중심 글감은 시의 제목이 될 수도 있고
시에서 가장 자주 나오는 낱말이 될 수도 있답니다.

▶정답 및 해설 10쪽

● 오늘 공부할 글의 그림을 미리 보고, 빈칸에 알맞은 낱말을 보기 에서 각각 찾아 쓰세요.

보기
거인 벌렁 꼬마 함께

❶ 

어린아이를 귀엽게 이르는 말.

㉠ 그림자는 아주 작은 ○○가 될 수 있다.

❷ 

몸이 아주 큰 사람.

㉠ 그림자는 엄청난 ○○이 되어 아파트 벽쯤 단숨에 오를 수도 있다.

❸ 

한꺼번에 같이. 또는 서로 더불어.

㉠ 그림자는 늘 나와 ○○ 논다.

꼬마도 될 수 있고 거인도 될 수 있는 것은?

동시 「그림자」 듣기

스스로 독해

이 시에서 '나'는 누구일까요? 시의 점선 부분을 따라 선을 그으며 읽어 보고 답을 생각해 보세요.

그림자

문삼석

난 꼬마도 될 수 있고
엄청난 거인도 될 수 있다.
아파트 벽쯤 단숨에 오르고
물 위로 벌렁 누울 수도 있다.
하지만 난
혼자서는 안 논다.
㉠꼭꼭누구랑같이논다.
누구가 누구냐고?
바로 너지 누구야.
언제나 너를 따라
함께 노는 나.
그럼 난 누구게?

어휘 풀이

- **꼬마** 어린아이를 귀엽게 이르는 말. ㉠ 옆집 꼬마는 참 귀엽다.
- **거인** | 클 거 巨, 사람 인 人 | 몸이 아주 큰 사람. ㉠ 그는 키가 2미터가 넘는 거인이다.
- **단** | 홑 단 單 | **숨에** 쉬지 아니하고 곧장. ㉠ 단숨에 물 한 컵을 들이켰다.
- **벌렁** '발이나 팔을 활짝 벌린 상태로 맥없이 굼뜨게 뒤로 자빠지거나 눕는 모양.'을 뜻하는 '벌러덩'의 준말. ㉠ 학교에서 집에 돌아오자마자 침대에 벌렁 누웠다.

▶정답 및 해설 10쪽

스스로 독해 해결!

1 유추

이 시에서 '나'는 누구일까요? (   )

① 벽
② 아파트
③ 거미
④ 물고기
⑤ 그림자

2 표현

이 시의 표현에 대한 설명으로 알맞은 것을 골라 ○표를 하세요.

(1) 소리를 흉내 내는 말을 사용했다. (   )
(2) 사람이 아닌 것을 사람처럼 표현했다. (   )

힌트
1번에서 찾은 답인 '내'가 사람처럼 말을 하고 있는 것에서 알 수 있어요.

서술형

3 문법

∨로 표시한 대로 ㉠을 바르게 띄어 쓰세요.

	꼭	꼭∨	누	구	랑∨	같	이∨	논	다	.				

↓

	꼭	꼭											.	

4 요약

이 시의 내용을 정리하여 빈칸에 알맞은 말을 각각 쓰세요.

나는 꼬마도 될 수 있고 ❶ (   ) 도 될 수 있다.
나는 아파트 벽을 단숨에 오를 수도 있고 ❷ (   ) 위에 누울 수도 있다.
나는 언제나 너를 따라 함께 논다.

▶정답 및 해설 10쪽

1

동시 「그림자」에 쓰인 낱말 '거인'과 뜻이 비슷한 말과 뜻이 반대인 말을 보기 에서 각각 찾아 쓰세요.

> 난 꼬마도 될 수 있고
> 엄청난 거인도 될 수 있다.

보기

대인　　소인　　성인

(1) '거인'과 뜻이 비슷한 말: (　　　　　　)

(2) '거인'과 뜻이 반대인 말: (　　　　　　)

2

보기 와 같이 다음 문장에 쓰인 '벌렁'의 작은말을 쓰세요.

> 물 위로 벌렁 누울 수도 있다.

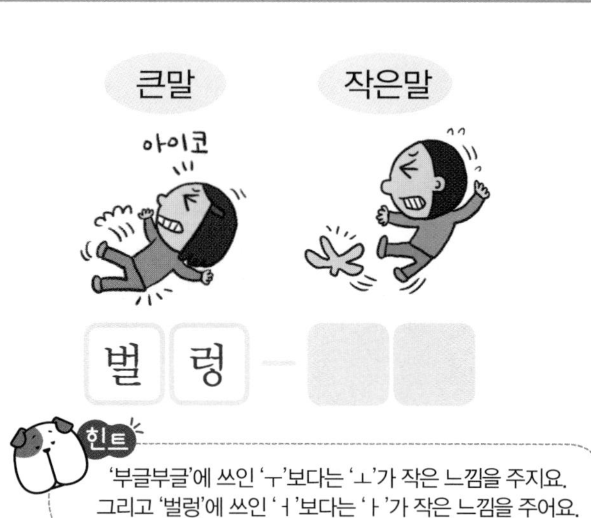

힌트 '부글부글'에 쓰인 'ㅜ'보다는 'ㅗ'가 작은 느낌을 주지요.
그리고 '벌렁'에 쓰인 'ㅓ'보다는 'ㅏ'가 작은 느낌을 주어요.

3

다음 밑줄 그은 낱말과 바꾸어 쓸 수 있는 낱말을 각각 두 가지씩 찾아 ○표를 하세요.

> 언제나(1) 너를 따라 / 함께(2) 노는 나.

(1) 언제나: (늘 , 가끔 , 항상 , 종종 , 때때로)

(2) 함께: (홀로 , 같이 , 혼자 , 더불어 , 외로이)

꼬마도 될 수 있고 거인도 될 수 있는 그림자에 대해 더 알아보아요. 다음 그림자 실험 그림을 보고 실험 결과에 알맞은 말을 골라 ◯표를 하세요.

실험 1

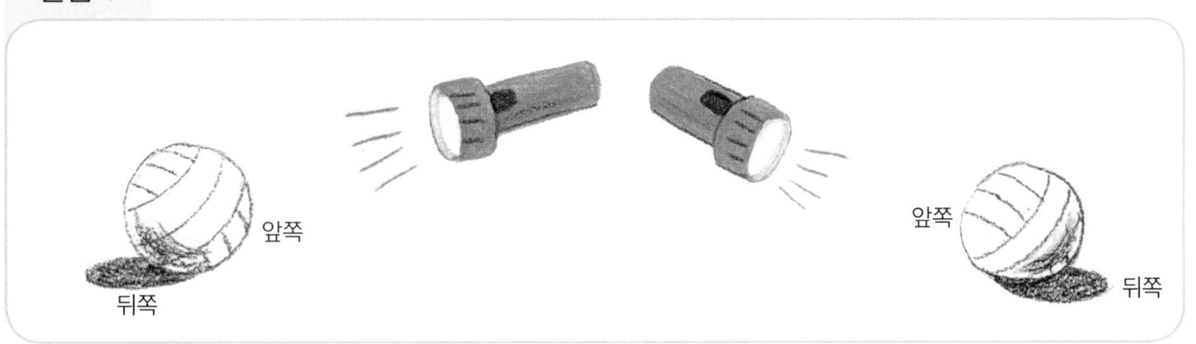

 물체에 빛을 비추면 그림자는 물체 (1) (앞쪽 , 뒤쪽)에 생겨요.

실험 2

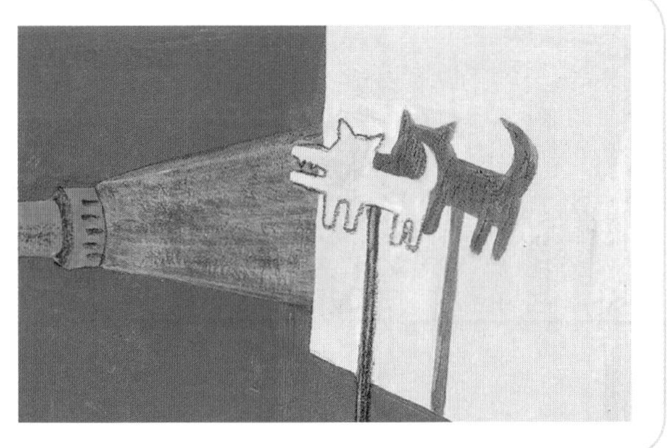

 물체가 불빛과 가까워질수록 그림자는 (2) (커져요 , 작아져요).

 동시 「그림자」의 내용을 떠올리며 **그림자가 생기는 위치와 그림자의 크기가 바뀌는 원리**까지 알아봅니다.

1주 4일

수학 (비문학)

십진법의 발견

공부한 날 월 일

무엇을 설명하는지 찾아라!

「십진법의 발견」을 읽으며 무엇을 설명하는 글인지 알아보세요. 무엇을 설명하는지 알아보려면 글에서 가장 중요한 낱말을 찾아 설명하는 대상을 먼저 알아보고, 그 대상의 무엇에 대해 말하고 있는지 알아보면 되지요.

▶정답 및 해설 11쪽

● 오늘 공부할 글의 그림을 미리 보고, 빈칸에 알맞은 낱말을 보기 에서 각각 찾아 쓰세요.

보기

수　　셈　　이상　　발견

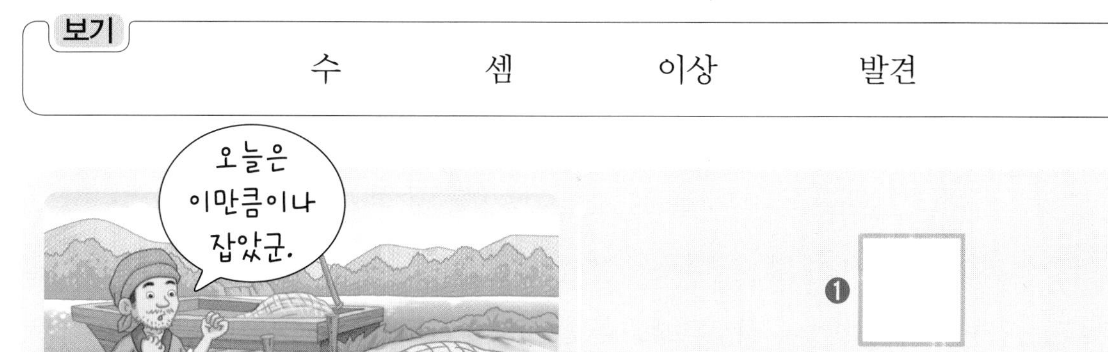

❶ □

수를 세는 일.

예 옛날 사람들은 주로 몸을 이용하여 ○을 했어.

❷ □□

미처 찾아내지 못하였거나 아직 알려지지 아니한 사물이나 현상, 사실 따위를 찾아냄.

예 십진법을 어떻게 ○○했을까?

❸ 

수량이나 정도가 일정한 기준보다 더 많거나 나음.

예 1,000 ○○의 수는 단위를 하나 올려서 셈한다.

사람의 손가락이 열 개여서 만들어진 것은?

진법에 대해 자세히 알아보기

십진법의 발견

스스로 독해

속 낱말을 색칠해 보아요. 이 글에서 가장 중요한 낱말이랍니다.

옛날 사람들은 수를 셀 때 주로 몸을 이용했어. 예를 들어, 물고기 12마리를 잡으면 손가락 10개를 다 내밀고 발가락 2개를 더 내미는 식이야.

이렇게 처음에는 몸의 이곳저곳을 이용해서 셈을 했지만 세야 할 수가 점점 커지자 문제가 생겼어. (㉠) 손가락을 접었다 펴는 건 쉬워도 발가락을 접었다 펴는 것은 꽤나 어려웠기 때문이야.

그래서 사람들은 손가락 10개만 사용해서 수를 나타내기로 했어. 손가락은 모두 10개뿐이니까, 수가 10을 넘으면 하나로 묶고 새로 1부터 시작하기로 했지.

10개씩 묶어서 생각하니 100까지 세는 것도 쉬워졌지. 그러다 점점 100 또는 1,000 이상의 수는 단위를 하나 올려서 셈하면 편리하다는 것을 깨닫게 되었어. 이러한 셈이 바로 십진법이야.

어휘 풀이

- **발견** | 필 발 發, 볼 견 見 | 미처 찾아내지 못하였거나 아직 알려지지 않은 사물이나 현상, 사실 따위를 찾아냄. ㉮ 콜럼버스 항해의 목표는 신대륙 발견이었다.
- **셈** 수를 세는 일. ㉮ 나는 셈이 빠른 편이다.
- **이상** | 써 이 以, 위 상 上 | 수량이나 정도가 일정한 기준보다 더 많거나 나음. 기준이 수량으로 제시될 경우에는, 그 수량이 범위에 포함되면서 그 위인 경우를 가리킴. ㉮ 나는 주 3회 이상 운동을 한다.

▶ 정답 및 해설 11쪽

1 문법

㉠ 안에 들어갈 이어 주는 말로 알맞은 것은 무엇인가요? (   )

① 그리고 ② 그래서
③ 하지만 ④ 따라서
⑤ 왜냐하면

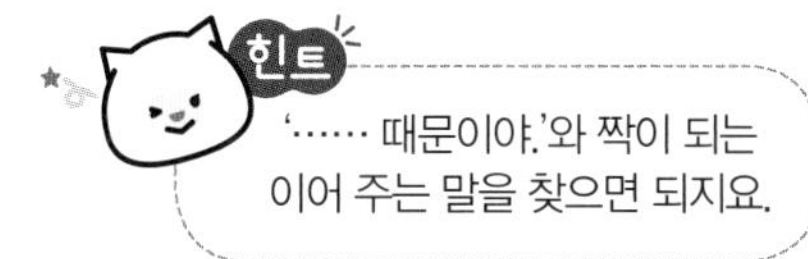

스스로 독해 해결!

2 이해

무엇에 대해 설명하는 글인가요? (   )

① 수학을 잘하는 방법
② 십진법을 쓰게 된 까닭
③ 물물 교환을 하게 된 까닭
④ 옛날 사람들이 수를 세기 위해 사용한 말
⑤ 옛날 사람들이 물고기를 잡을 때 사용한 물건

서술형

3 이해

십진법을 쓰게 된 까닭은 무엇인지 쓰세요.

옛날 사람들은 손가락을 이용해 수를 셌는데, 손가락이 ______________________ 십진법을 쓰게 된 것이다.

4 요약

이 글의 중심 내용을 정리하여 빈칸에 알맞은 말을 각각 쓰세요.

❶ ______ 은 10까지를 한 단위로 하여 한 자리씩 올라갈 때마다 10배씩 커지는 진법이다. 옛날 사람들은 손가락을 접었다 폈다 하며 수를 셌는데 ❷ ______ 이 열 개여서 십진법을 사용하게 된 것이다.

▶ 정답 및 해설 11쪽

1 다음 만화를 보고 「십진법의 발견」의 내용에 알맞은 낱말을 찾아 ○표를 하세요.

사람들은 손가락 열 개로 셈을 하다가 십진법을 (발견 , 발명)하였다.

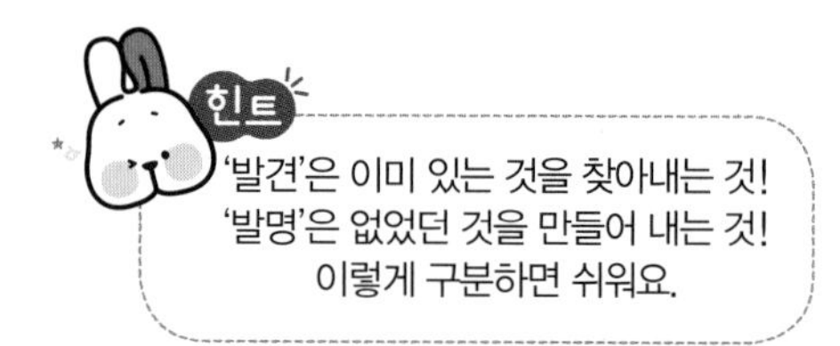

2 다음 낱말의 뜻을 잘 읽고 빈칸에 알맞은 낱말을 각각 찾아 쓰세요.

이하 기준이 되는 수를 포함하여 그 아래인 경우를 가리킴.

이상 기준이 되는 수를 포함하여 그 위인 경우를 가리킴.

(1) 100센티미터 ☐☐ 탑승 가능

(2) 135센티미터 ☐☐ 탑승 가능

재미있는 독해 게임으로 독해력 쑥쑥

▶정답 및 해설 11쪽

● 우리가 주로 십진법을 쓰게 된 까닭을 알았지요? 그런데 컴퓨터에서는 숫자 '0'과 '1'만을 사용한 이진법을 써요. 다음 규칙을 잘 읽고 컴퓨터에 다음과 같이 입력하면 어떤 그림이 나타날지 알맞은 것을 골라 ○표를 하세요.

규칙

숫자 0이 입력된 칸에는 색칠하지 않고, 숫자 1이 입력된 칸에는 검은색을 칠한다.

0	1	0	0	0	0	0	0	1	0
0	0	1	0	0	0	0	1	0	0
0	0	0	1	0	0	1	0	0	0
0	0	1	1	1	1	1	1	0	0
0	1	0	0	0	0	0	0	1	0
0	1	0	1	0	0	1	0	1	0
0	1	0	0	0	0	0	0	1	0
0	1	0	0	1	1	0	0	1	0
0	1	0	0	0	0	0	0	1	0
0	0	1	1	1	1	1	1	0	0

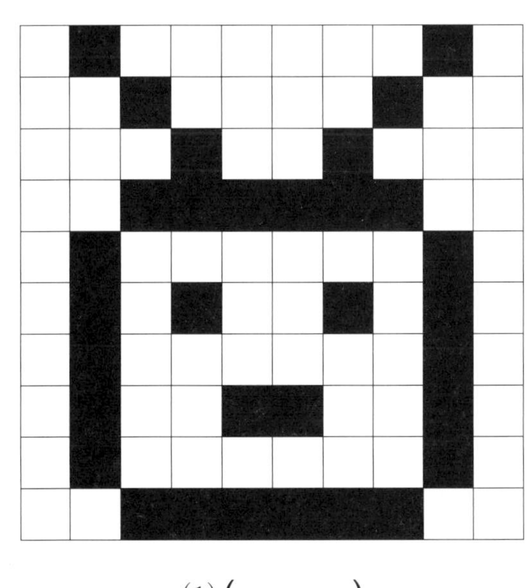

(1) (　　　)

(2) (　　　)

「십진법의 발견」의 내용을 바탕으로 십진법 이외에 **컴퓨터의 이진법**에 대해서도 알아봅니다.

1주 5일

생활 속 독해

안녕, 우리 친구 하자

공부한 날 월 일

광고에서 하고 싶은 말을 찾아라!

「안녕, 우리 친구 하자」를 읽고 하고 싶은 말을 알아봐요.
광고에 나온 글과 사진을 살펴보고 그 속에 담긴 뜻을 생각하면
광고에서 하고 싶은 말을 알 수 있답니다.

▶ 정답 및 해설 12쪽

● 오늘 공부할 글의 사진을 미리 보고, 빈킨에 알맞은 낱말을 각각 찾아 쓰세요.

똑같은	쓰임새	완전한

이름도 ❶ ______ 도 모두 다른 다섯 손가락을 여러 나라 사람의 모습

↘ 쓰임의 정도나 쓰이는 바.

으로 꾸몄어요. 함께일 때 ❷ ______ 힘을 가질 수 있는 다섯 손가락처

↘ 필요한 것이 모두 갖추어져 모자람이나 흠이 없는.

럼 나라와 모습이 달라도 어울릴 수 있어요.

누가 친구 하자는 거지?

공익 광고에 대해 자세히 알아보기

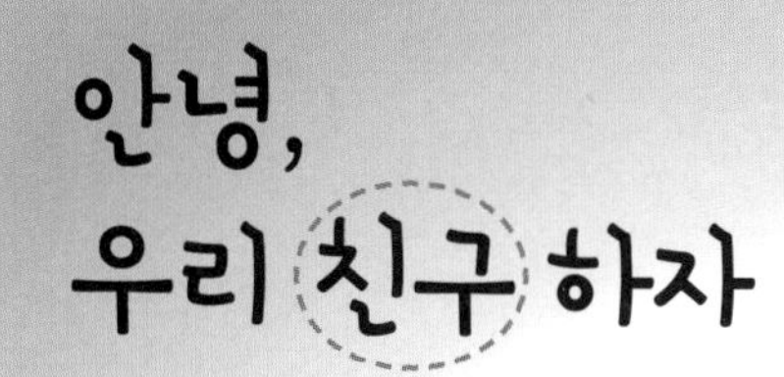

이름도 ▾쓰임새도 모두 ㉠ 다른 손가락.

그중 어떤 것도 최고일 수는 없습니다.

함께일 때 ▾완전한 힘을 가지는 우리는

어울림의 표시입니다.

스스로 독해

( ) 속 낱말을 색칠해 보아요. 이 광고에서 하고 싶은 말이 무엇인지 잘 나타난 낱말이랍니다.

어휘 풀이

▾**쓰임새** 쓰임의 정도나 쓰이는 바. ㉨ 이 물건은 쓰임새가 아주 다양하다.

▾**완전**| 완전할 **완** 完, 온전할 **전** 全 | **한** 필요한 것이 모두 갖추어져 모자람이나 흠이 없는.
㉨ 세상에 완전한 사람이 있을까?

▶ 정답 및 해설 12쪽

1 어휘

㉠'다른'과 뜻이 반대인 낱말은 무엇인가요? (　　　　)

① 틀린　　② 옳은　　③ 같은
④ 맞는　　⑤ 바른

힌트 '다르다'와 '틀리다'를 잘 구분해야 해요. '틀리다'는 '맞다'와 뜻이 반대인 낱말이에요.

2 이해

손가락들은 어떨 때 완전한 힘을 가진다고 했나요? (　　　　)

① 함께일 때　　② 이름이 같을 때
③ 쓰임새가 같을 때　　④ 얼굴 색깔이 같을 때
⑤ 각각 최고가 되었을 때

서술형

3 이해

손가락들은 무엇을 하자고 말했는지 쓰세요.

안녕, 우리 ________________________

스스로 독해 해결!

4 요약

이 광고에서 하고 싶은 말은 무엇인지 빈칸에 알맞은 말을 보기 에서 각각 찾아 쓰세요.

보기
식구　　함께　　친구

하고 싶은 말	나라가 다르고 생긴 모습이 다르더라도 ❶ (　　) 어울리며 서로 존중하는 ❷ (　　)로 지내자.

▶정답 및 해설 12쪽

1 「안녕, 우리 친구 하자」의 내용에 알맞은 낱말을 골라 ○표를 하세요.

이름도 쓰임새도 모두 (다른 , 틀린) 손가락 중 어떤 것도 최고일 수는 없다.

힌트
'같다'와 반대의 뜻으로 쓰였으면 '다르다',
'맞다'와 반대의 뜻으로 쓰였으면 '틀리다'이지요.

2 손가락 이름을 보기 에서 각각 찾아 쓰세요.

보기
엄지손가락: 다섯 손가락 가운데 첫째 손가락.
집게손가락: 다섯 손가락 가운데 둘째 손가락.
가운뎃손가락: 다섯 손가락 가운데 셋째 손가락.
약손가락: 다섯 손가락 가운데 넷째 손가락.
새끼손가락: 다섯 손가락 가운데 다섯째 손가락.

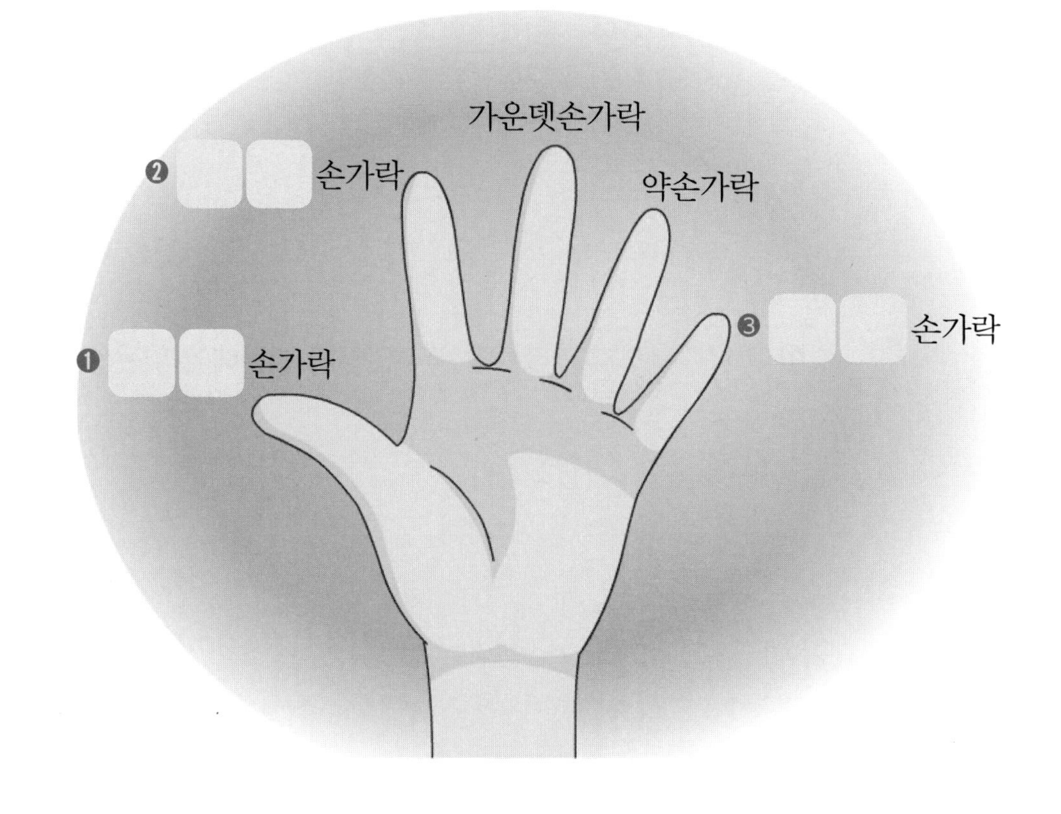

재미있는 독해 게임으로 독해력 쑥쑥

▶ 정답 및 해설 12쪽

● 「안녕, 우리 친구 하자」와 하고 싶은 말이 비슷한 광고문을 찾아 ◯표를 하세요.

(1) (　　　)

모두
살색입니다

외국인 근로자도 피부색만 다른 소중한 사람입니다
돌아가서 우리나라를 세계에 알릴 귀한 손님입니다

우리 민족은 약소국의 설움을 누구보다 잘 알고 있습니다.
일제 시대의 아픔이 아직도 우리 가슴에 아물지 않고 남아 있습니다.
그래서 요즘 심심찮게 들려오는 외국인 노동자 인권 유린의 소식들은
더욱 우리의 마음을 아프게 합니다.

우리나라에 온 귀한 손님들에게 동방예의지국의 미덕을
다시 한번 보여 줄 때입니다.

kobaco
공익광고협의회

(2) (　　　)

(3) (　　　)

내가 지식인이 되는 방법

'찾기'가 아니라 '읽기'입니다.

인터넷에서 찾아보면 금방 알 수 있다? 쉽게 얻은 정답은 지식으로 오래 남기 어렵습니다.
내가 지식인이 되는 방법, 인터넷 검색이 아닌 독서입니다.

kobaco
공익광고협의회

(4) (　　　)

「안녕, 우리 친구 하자」에서 하고 싶은 말이 무엇이었는지 떠올리고, **같은 뜻을 전하는 다른 광고문**을 찾아봅니다.

누구나 100점 테스트

[1~3] 다음 글을 읽고, 물음에 답하시오.

(가) 옛날에는 소금이 ㉠금만큼이나 귀했어요. ㉡욕심장이 부자는 ㉢맷돌을 돌리면서 외쳤어요.

"나와라, 소금! 옳지, 옳지. 자꾸자꾸 나와서 ㉣산만큼 쌓여라. 멈추지 말고 소금만 나와라!"

(나) 소금은 자꾸자꾸 나와서 배를 가득 채우고, 배 위로 산더미처럼 쌓였어요. 그러다가 마침내 배가 무게를 이기지 못해 바닷속으로 ㉤가라앉았어요.

1 ㉠~㉤ 중 낱말이 잘못 쓰인 것을 고르세요. (　　　)

① ㉠　② ㉡　③ ㉢
④ ㉣　⑤ ㉤

2 옛날에는 무엇이 금과 같이 귀했다고 했나요? (　　　)

① 설탕　② 소금　③ 간장
④ 된장　⑤ 고추장

3 이 이야기의 교훈에 알맞은 낱말을 빈칸에 쓰세요.

• ☐☐을 부리지 말자.

[4~5] 다음 글을 읽고, 물음에 답하시오.

'착한 모기'가 다른 모기를 잡는 방법은 간단해요. 먼저 사람을 물지 않는 수컷 모기에 '볼바키아'라는 세균을 감염시켜 방사해요. 그러고 나서 암컷 모기가 이 수컷 모기와 짝짓기를 하면 알을 낳아도 이 알은 염색체에 문제가 있어 부화하지 않아요. 결국 '착한 모기'를 계속해서 방사할 경우, 모기의 개체 수가 줄어들게 되는 거죠.

4 무엇에 대해 설명하는 글인가요? (　　　)

① 모기약
② 모기의 종류
③ 모기의 성장 과정
④ 모기 잡는 '착한 모기'
⑤ 모기가 짝짓기를 하는 방법

5 '착한 모기'가 다른 모기를 잡는 방법을 순서대로 나열하여 기호를 쓰세요.

㉮ 모기의 수가 줄어든다.
㉯ 감염된 모기가 짝짓기를 한다.
㉰ 수컷 모기를 세균에 감염시킨다.
㉱ 암컷 모기가 낳은 알이 부화되지 않는다.

㉰ → (　　　) → (　　　) → ㉮

▶정답 및 해설 12쪽

[6~7] 다음 시를 읽고, 물음에 답하시오.

그림자

난 꼬마도 될 수 있고
엄청난 거인도 될 수 있다.
아파트 벽쯤 단숨에 오르고
물 위로 벌렁 누울 수도 있다.
하지만 난
혼자서는 안 논다.
꼭꼭 누구랑 같이 논다.
누구가 누구냐고?
바로 너지 누구야.
언제나 너를 따라
함께 노는 나.
㉠그럼 난 누구게?

6 ㉠에 대한 답을 시에서 찾아 쓰세요.

7 이 시의 표현에 대해 알맞게 말한 친구는 누구인지 이름을 쓰세요.

다솔: 일어난 일을 자세하게 표현했어.
채민: 사람이 아닌 것을 사람처럼 표현했어.
현솔: 소리를 흉내 내는 말을 사용해서 노는 모습을 실감 나게 표현했어.

( )

[8~9] 다음 글을 읽고, 물음에 답하시오.

사람들은 손가락 (㉠) 개만 사용해서 수를 나타내기로 했어. 손가락은 모두 10개뿐이니까, 수가 10을 넘으면 하나로 묶고 새로 1부터 시작하기로 했지.

10개씩 묶어서 생각하니 100까지 세는 것도 쉬워졌지. 그러다 점점 100 또는 1,000 이상의 수는 단위를 하나 올려서 셈하면 편리하다는 것을 깨닫게 되었어. 이러한 셈이 바로 십진법이야.

8 ㉠ 안에 들어갈 숫자를 쓰세요.

( )

9 이 글의 제목으로 가장 알맞은 것은 무엇인가요? ( )

① 숫자
② 덧셈하는 법
③ 뺄셈하는 법
④ 십진법의 발견
⑤ 수를 빨리 세는 방법

10 다음 광고 문구에 들어갈 낱말로 알맞은 것에 ◯표를 하세요.

이름도 쓰임새도 모두 (다른 , 틀린) 손가락.
그중 어떤 것도 최고일 수는 없습니다.
함께일 때 완전한 힘을 가지는 우리는
어울림의 표시입니다.

창의

1 다음 만화를 읽고, 1주차에서 배운 낱말을 떠올려 어휘 퀴즈에 알맞은 낱말을 빈칸에 각각 쓰세요.

▶ 정답 및 해설 13쪽

어휘 퀴즈

❶ '공간이나 시간, 상황 따위의 바로 가운데.'를 뜻하는 말은? →

❷ '돌 두 짝을 포개고 곡식을 넣으면서 손잡이를 돌려 곡식을 가는 데 쓰는 기구를 ○○이라고 한다.'의 빈칸에 들어갈 알맞은 말은? →

❸ '수량이나 정도가 일정한 기준보다 더 많거나 나음.'을 뜻하는 말은? →

코딩

2 암컷 모기가 위험을 피해 안전한 곳에 알을 낳으려 해요. 코딩을 따라 이동하여 모기가 알을 낳는 곳이 어디인지 찾아 쓰세요.

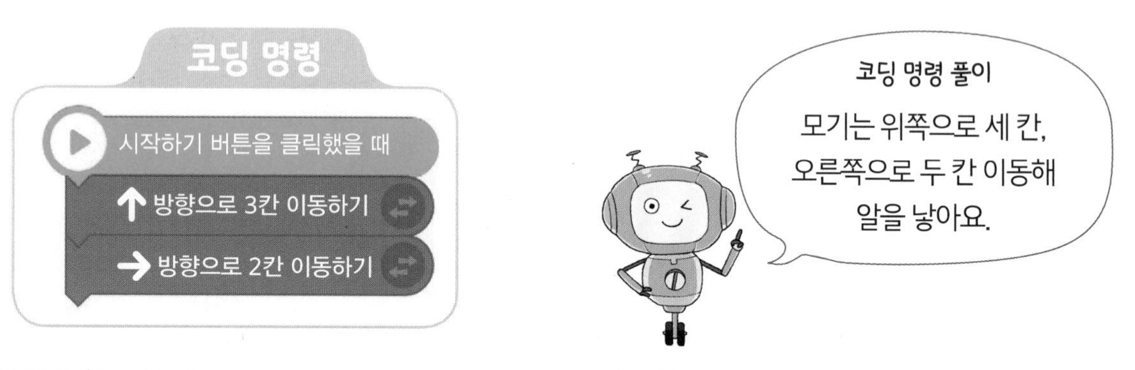

암컷 모기는 ________ 에 알을 낳습니다.

▶정답 및 해설 13쪽

융합

3 아라가 여러 가지 도형을 쌓고 그림자를 만드는 놀이를 하고 있어요. 다음 그림 속 그림자를 보고, 아라가 도형을 어떤 순서로 쌓았을지 ㉠~㉣에 들어갈 도형을 찾아 기호를 쓰세요.

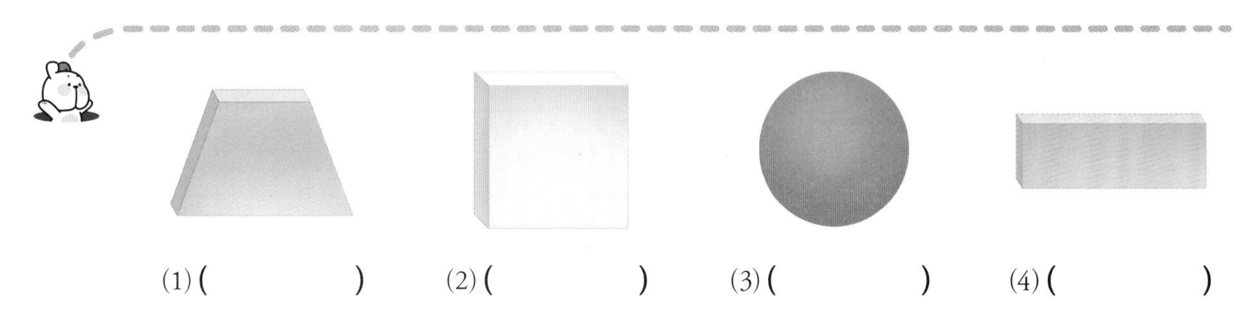

(1) (　　　　) (2) (　　　　) (3) (　　　　) (4) (　　　　)

창의

4 약봉지를 보고 알맞은 말에 ○표를 하세요.

생활 어휘

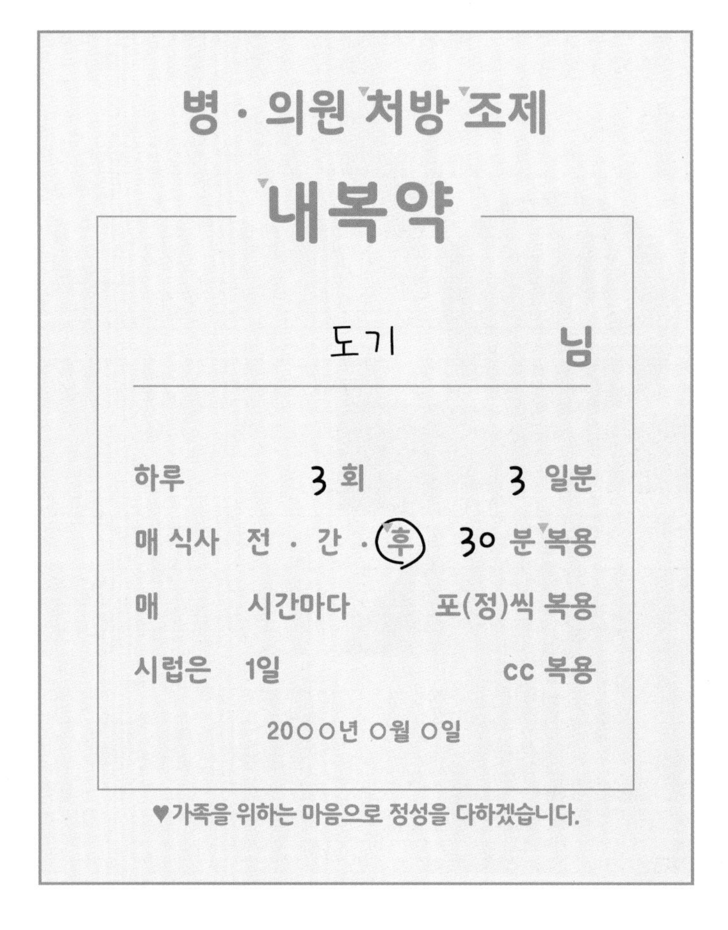

얘들아! 내복약이라고 했으니까, (1)(먹는 , 바르는) 약이야. 하루 3번씩 3일치의 약이네. '매 식사 후 30분 복용'이라고 했으니까 밥을 (2)(먹기 전 , 먹고 나서) 30분 지나고 이 약을 (3)(먹어 , 발라).

어휘 풀이

▾**처방** | 곳 처 處, 모 방 方 | 병을 치료하기 위하여 증상에 따라 약을 짓는 방법.
예 감기에 걸려서 약을 처방받았다.

▾**조제** | 고를 조 調, 약 지을 제 劑 | 여러 가지 약품을 섞어서 약을 짓는 것. 예 약국에서 조제한 약을 먹었다.

▾**내복약** | 안 내 內, 입을 복 服, 약 약 藥 | 먹는 약. 알약, 물약, 가루약 등이 있음.
예 병원에서 내복약 처방을 받았다.

▾**후** | 뒤 후 後 | 뒤나 다음. 예 손을 씻은 후 밥을 먹었다.

▾**복용** | 입을 복 服, 쓸 용 用 | 약을 먹음. 예 알약은 복용하기가 간편하다.

▶ 정답 및 해설 13쪽

창의

5 **見(볼 견) 자에 대해 알아보고, 다음 물음에 답하세요.**

생활 한자

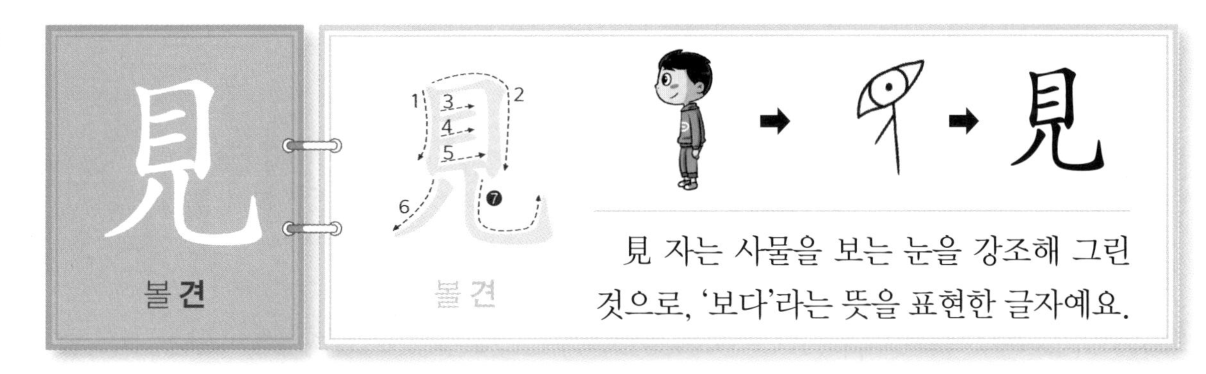

見 자는 사물을 보는 눈을 강조해 그린 것으로, '보다'라는 뜻을 표현한 글자예요.

(1) 見 자가 들어간 낱말을 알아보고, 한자의 음을 쓰세요.

① 오늘은 방송국 見學을 가는 날이다.

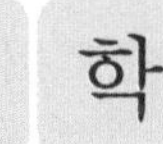

[ ] 학

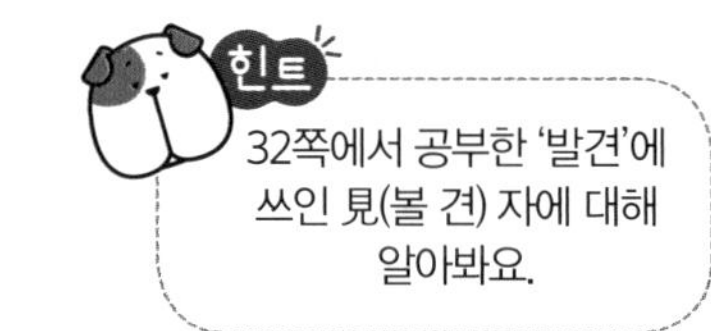

② 여행을 많이 하면 見聞을 넓힐 수 있다.

[ ] 문

(2) 한자 성어의 뜻을 알아보고, 빈칸에 알맞은 한자를 쓰세요.

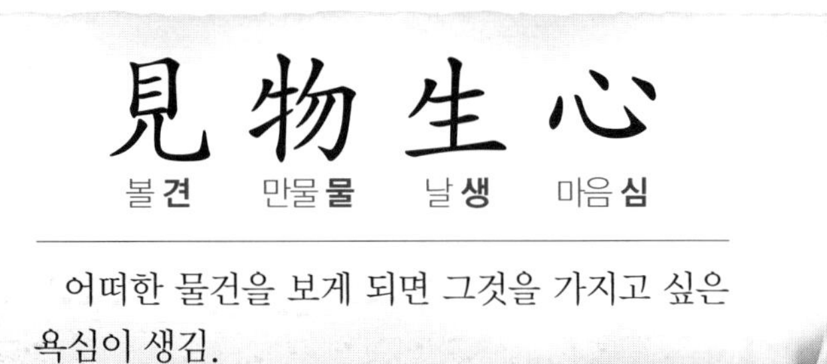

見物生心

볼 **견** 만물 **물** 날 **생** 마음 **심**

어떠한 물건을 보게 되면 그것을 가지고 싶은 욕심이 생김.

• [ ] 物 生 心 (견물생심)이라고 멋진 장난감을 보니 더 갖고 싶어졌다.

2주

2주에는 무엇을 공부할까? ①

1일 외짝 꽃신의 꿈
2일 펭귄은 새일까? 아닐까?
3일 오즈의 마법사
4일 빙글빙글 강강술래
5일 양치질을 바르게 해요

2주 2주에는 무엇을 공부할까? ❷

1-1 다음 문장에 넣을 바른 낱말을 골라 ○표를 하세요.

빗물들은 자기 밑에 있는 풀잎들을 바라보았습니다.

바짝 마르고 (볼품 , 불편)이 없어서 빗물들도 관심을 두지 않았던 풀잎이었습니다.

1-2 밑줄 그은 낱말을 바르게 사용한 친구의 이름을 쓰세요.

(   )

▶ 정답 및 해설 14쪽

2-1 다음 문장의 밑줄 그은 부분을 알맞게 바꾸어 쓴 낱말을 골라 ◯표를 하세요.

충치를 예방하려면 하루에 3회, 밥을 먹은 뒤 3분 이내에 3분 이상 양치질을 해야 합니다.

⬇

충치를 예방하려면 하루에 3회, (식전 , 식후) 3분 이내에 3분 이상 양치질을 해야 합니다.

2-2 다음 문자 메시지를 읽고, 밑줄 그은 낱말에 주의하여 문자 메시지의 내용을 바르게 이해한 것에 ◯표를 하세요.

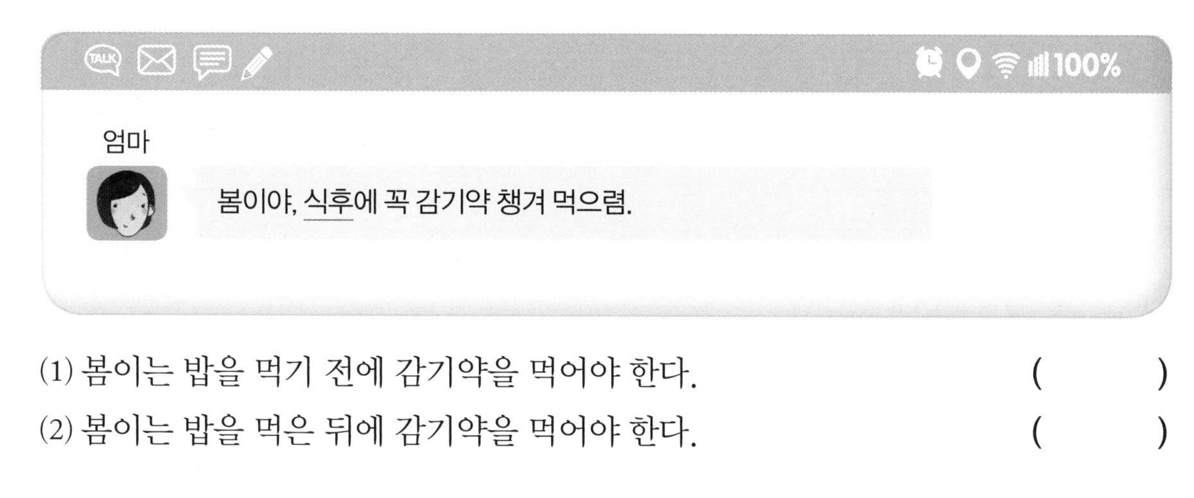

(1) 봄이는 밥을 먹기 전에 감기약을 먹어야 한다. (　　)

(2) 봄이는 밥을 먹은 뒤에 감기약을 먹어야 한다. (　　)

2주 1일

이야기 (문학)

외짝 꽃신의 꿈

공부한 날 월 일

이야기를 읽으며 인물이 꿈꾸는 것을 살펴보자!

이야기 「외짝 꽃신의 꿈」에서 꽃신이 꿈꾸는 것이 무엇인지 알기 위해서는
꽃신의 말과 행동을 살펴보면 돼요.
이야기를 읽으며 인물의 말과 행동을 살펴보면
인물이 꿈꾸는 것이 무엇인지 파악할 수 있지요.

뚝뚝한
하루 독해 미리 보기

▶ 정답 및 해설 14쪽

◎ 오늘 공부할 글과 그림을 미리 보고, 빈간에 알맞은 낱말을 각각 찾아 쓰세요.

꽃신	빗물	눈물

저마다의 꿈을 가지고 하늘에서 내린 ❶ ______ 들이 꽃신 안에 담겨 움직

→비가 와서 고인거나 모인 물.

일 수 없게 되었어요. ❷ ______ 은 그런 빗물들에게 미안해하며, 빗물들에게

→꽃 모양이나 여러 가지 빛깔로 곱게 꾸민 신발.

자신의 꿈에 대해 이야기해 주었지요. 꽃신의 꿈은 무엇인지 빗물과 꽃신이 나눈

대화를 살펴볼까요?

꽃신에게도 꿈이 있다고?

여러 가지 꿈에 대하여 자세히 알아보기

외짝 꽃신의 꿈

박성배

스스로 독해

꽃신의 꿈은 무엇일까요? 점선 부분을 따라 선을 그으며 글을 읽고 답을 생각해 보세요.

"참, 또 하나 방금 생긴 꿈이 있어."

외짝 꽃신이 갑자기 생각난 듯이 말했습니다.

"그게 뭔데?"

빗물들이 한꺼번에 물었습니다.

"너희들이 행복해지는 거야."

"우리들이 행복해지는 거라고?"

빗물들은 ㉠ 난처했습니다.

자기들은 이 작은 꽃신 안에 갇혀서는 도저히 행복해질 수가 없다고 생각했기 때문입니다.

그때 빗물 밑에 조용히 있던 작은 풀잎이 혼잣말처럼 중얼거렸습니다.

"행복이란 남을 위해 무슨 일인가 할 때 생기는 거야."

빗물들은 자기 밑에 있는 풀잎들을 바라보았습니다.

바짝 마르고 볼품이 없어서 빗물들도 관심을 두지 않았던 풀잎이었습니다.

어휘 풀이

- **꽃신** 꽃 모양이나 여러 가지 빛깔로 곱게 꾸민 신발. 주로 어린아이나 여자들이 신음.
- **난처**|어려울 난 難, 곳 처 處|**했습니다** 이럴 수도 없고 저럴 수도 없어 몸가짐이나 행동을 하기 어려웠습니다. ㉮ 동생이 내 장난감을 달라고 해서 난처했습니다.
- **자기**|스스로 자 自, 몸 기 己| 앞에서 이미 말한 사람을 도로 가리키는 말. ㉮ 영희는 자기가 책 주인이라고 말했다.
- **도저**|다다를 도 到, 밑 저 底|**히** 아무리 하여도. ㉮ 도저히 우리 팀이 진 것을 이해할 수 없다.
- **바짝** 물기가 매우 마르거나 졸아붙거나 타 버리는 모양. ㉮ 바짝 마른 옷을 빨랫줄에서 걷었다.
- **볼품** 겉으로 드러나 보이는 모습. ㉮ 멋진 왕관을 쓴 그의 모습은 제법 볼품 있어 보였다.

▲ 꽃신

▶ 정답 및 해설 14쪽

스스로 독해 해결!

1 이해

꽃신의 꿈은 무엇인가요? (　　　　)

① 땅속을 여행하는 것
② 맑은 샘물이 되는 것
③ 빗물들이 행복해지는 것
④ 들판을 푸르게 만드는 것
⑤ 즐겁게 노래를 부르는 것

2 어휘

㉠ '난처했습니다'와 뜻이 비슷한 낱말은 무엇인가요? (　　　　)

① 난감했습니다
② 용감했습니다
③ 실감했습니다
④ 예감했습니다
⑤ 민감했습니다

힌트
'이렇게 하기도 저렇게 하기도 어려워 처지가 매우 딱했습니다.'의 뜻을 가진 낱말을 찾아봐요.

3 이해

서술형

작은 풀잎은 행복이 언제 생긴다고 하였는지 쓰세요.

행복이란 ____ 생기는 것이다.

4 요약

이 글의 중요한 내용을 정리하여 빈칸에 알맞은 말을 각각 쓰세요.

꽃신은 ❶ ☐☐ 들이 행복해지는 것이 자신의 꿈이라고 말했고, 풀잎은 ❷ ☐☐ 이란 남을 위해 무슨 일인가 할 때 생기는 것이라고 했다.

▶정답 및 해설 14쪽

1

다음 문장을 읽고 바르게 사용한 낱말에 ○표를 하세요.

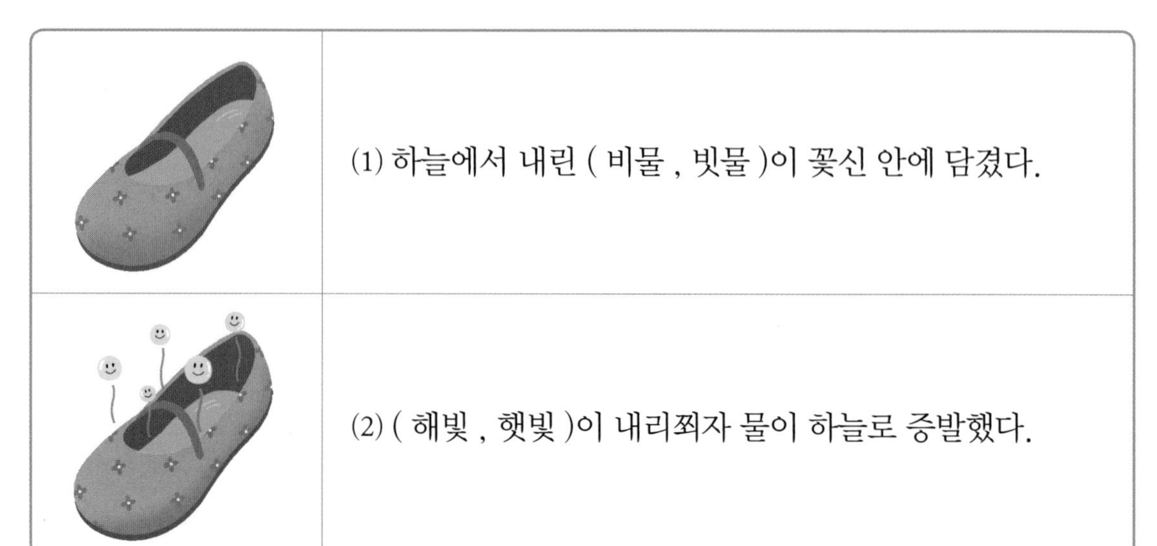

(1) 하늘에서 내린 (비물 , 빗물)이 꽃신 안에 담겼다.

(2) (해빛 , 햇빛)이 내리쬐자 물이 하늘로 증발했다.

힌트
'비'+'물'과 '해'+'빛'을 각각 더해 한 낱말을 만들 때에는 두 글자 사이에 'ㅅ'을 써넣어요.

2

다음은 비의 종류를 나타낸 낱말입니다. 보기 를 보고 빈칸에 알맞은 낱말을 각각 쓰세요.

보기

- **이슬비** 아주 가늘게 내리는 비.
- **여우비** 볕이 나 있는 날 잠깐 오다가 그치는 비.
- **소낙비** 갑자기 세차게 쏟아지다가 곧 그치는 비.

(1) 갑자기 (   ) 가 무섭게 내리다 이내 그쳤다.

(2) 햇볕이 쨍쨍한 하늘에서 (   ) 가 잠시 내렸다.

(3) 부슬부슬 가늘게 내리는 (   ) 에 옷이 젖는 줄도 몰랐다.

● 다음 물의 순환과 관련된 그림을 보고, 빈칸에 알맞은 말을 보기 에서 각각 찾아 쓰세요.

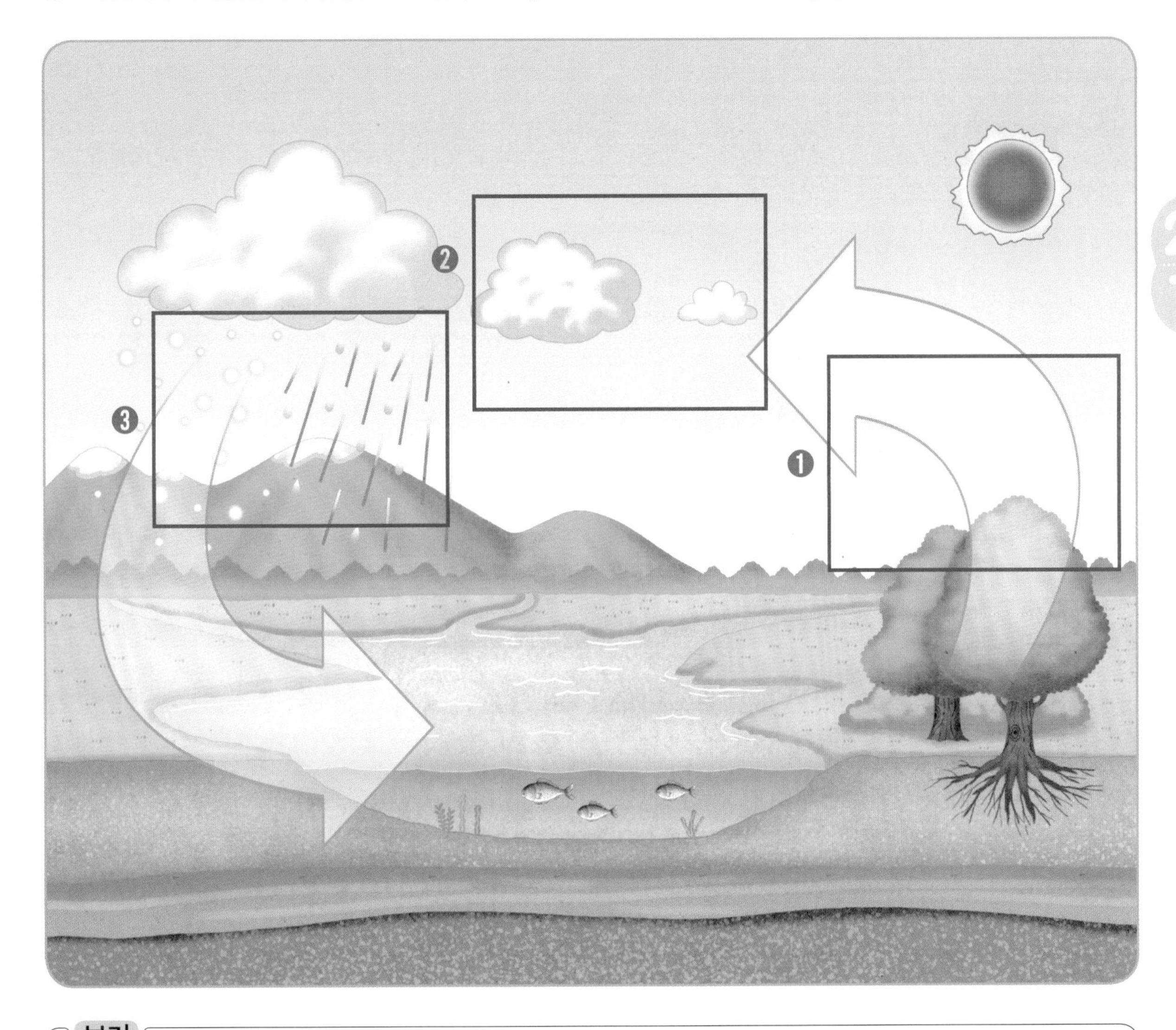

보기

수증기　　구름　　눈

❶ 물은 땅과 식물, 호수나 바다 등에서 증발해 □□□ 가 된다.

❷ 하늘 높이 올라간 수증기는 엉기어 뭉쳐서 □□ 이 된다.

❸ 구름은 비나 □ 이 되어 다시 땅으로 떨어진다.

「꽃신의 꿈」에서 각자의 꿈을 가지고 있던 물들은 빗물이 되어 떨어져 꽃신 안에 담기게 되었습니다. 꽃신 안에 담긴 **물이 증발하여 무엇이 되고 물은 어떤 과정을 거쳐 땅으로 돌아오는지** 더 알아봅니다.

2주 2일

과학 (비문학)

펭귄은 새일까? 아닐까?

공부한 날 월 일

글에서 중심 문장을 찾아라!

문단을 대표하는 문장을 중심 문장이라고 해요. 각 문단에서 중심 문장을 찾으면 글에서 설명하는 중요한 내용이 무엇인지 알 수 있지요.
그럼 「펭귄은 새일까? 아닐까?」를 읽고 중심 문장을 찾아볼까요?

▶정답 및 해설 15쪽

- 오늘 공부할 글의 그림을 미리 보고, 빈칸에 알맞은 낱말을 각각 찾아 쓰세요.

깃털 부리 번식

펭귄은 알을 낳아 ❶ ☐☐ 하고 ❷ ☐☐ 와 날개도 있으며 온몸이

↳ 생물체의 수나 양이 늘어서 많이 퍼짐. ↳ 새나 일부 짐승의 주둥이.

❸ ☐☐ 로 덮여 있지요. 그런데 하늘은 날지 못해요.

↳ 새의 몸을 덮고 있는 털.

그럼 펭귄은 새일까요? 새가 아닐까요?

펭귄에 대해 자세히 알아보기

펭귄은 새일까? 아닐까?

스스로 독해
각 문단의 중심 문장은 무엇일까요? 점선 부분을 따라 선을 그으며 읽어 보세요.

새는 알을 낳아 번식하는데 펭귄은 새끼가 아닌 알을 낳아. 암컷의 뱃속에서 만들어져 세상에 나온 알은 적정한 온도와 습도 아래서 서서히 그 모습을 갖추고, 새끼는 껍데기를 깨고 나오지.

또 펭귄은 새의 특징인 부리와 날개도 갖고 있어. 부리가 있기 때문에 펭귄의 얼굴을 자세히 보면 새처럼 보이기도 하지. 또 펭귄이 날개를 펼친 모습도 종종 봤을 거야.

새는 온몸이 깃털로 덮여 있어 체온을 유지할 수 있는데 펭귄도 몸이 깃털로 덮여 있어. 새의 깃털은 날기 위해서도 꼭 필요해. 날개와 꼬리쪽 깃털을 움직여 방향을 바꾸며 하늘을 날거든.

그렇지만 펭귄은 새와 달리 하늘을 날지 못하지 않냐고? 물속에서 오래 생활하면서 날개가 딱딱하고 평평한 물갈퀴로 변했기 때문이야. 펭귄은 헤엄칠 때나 몸의 균형을 잡기 위해 날개를 이용해. 이러한 여러 가지 특징을 보면 펭귄은 새라는 것을 알 수 있어.

어휘 풀이

- **번식** | 많을 번 繁, 번성할 식 殖 | 생물체의 수나 양이 늘어서 많이 퍼짐.
  예 천연기념물로 지정된 동물을 번식시키는 데 성공했다.
- **습도** | 축축할 습 濕, 법도 도 度 | 공기 가운데 수증기가 들어 있는 정도. 예 비가 많이 와서 습도가 높아졌다.
- **껍데기** 달걀이나 조개 따위의 겉을 싸고 있는 단단한 물질. 예 달걀 껍데기를 깨서 요리를 했다.
- **부리** 새나 일부 짐승의 주둥이. 길고 뾰족하며 보통 뿔의 재질과 같은 딱딱한 물질로 되어 있음.
- **깃털** 새의 몸을 덮고 있는 털. 예 동물원에서 공작의 멋진 깃털을 보았다.

▶ 정답 및 해설 15쪽

스스로 독해 해결!

1 이해

다음 중 각 문단의 중심 문장이 아닌 것을 찾아 ×표를 하세요.

(1) 새는 알을 낳아 번식하는데 펭귄은 새끼가 아닌 알을 낳아. ( )

(2) 또 펭귄은 새의 특징인 부리와 날개도 갖고 있어. ( )

(3) 새는 온몸이 깃털로 덮여 있어 체온을 유지할 수 있는데 펭귄도 몸이 깃털로 덮여 있어. ( )

(4) 그렇지만 펭귄은 새와 달리 하늘을 날지 못하지 않냐고? ( )

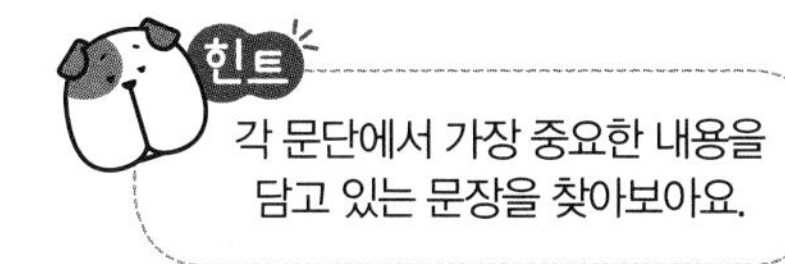

2 유추

이 글의 내용으로 보아, 다음 사진에서 새의 체온을 유지할 수 있게 해 주는 것을 찾아 ◯표를 하세요.

서술형

3 이해

펭귄이 하늘을 날지 못하는 까닭은 무엇인지 쓰세요.

물속에서 오래 생활하면서 날개가 ______________________로 변했기 때문이다.

4 요약

이 글의 중요한 내용을 정리하여 빈칸에 알맞은 말을 각각 쓰세요.

• 펭귄은 ❶ ____ 을 낳아 번식한다.
• 펭귄은 부리와 날개가 있다.
• 펭귄은 온몸이 ❷ ____ ____ 로 덮여 있다.

→ 펭귄은 ❸ ____ 이다.

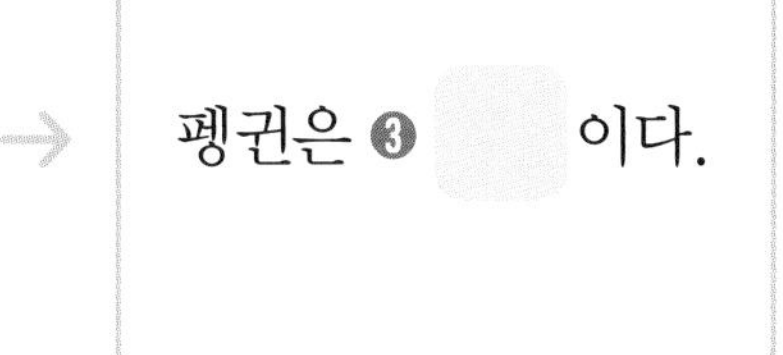

▶정답 및 해설 15쪽

1 다음 문장에 알맞은 말을 보기 에서 각각 찾아 쓰세요.

보기

껍데기	달걀이나 조개 따위의 겉을 싸고 있는 단단한 물질.
껍질	물체의 겉을 싸고 있는 단단하지 않은 물질.

(1) 아기 펭귄이 알 ________ 를 깨고 나왔다.

(2) 포도 ________ 로 맛있는 잼을 만들 수 있다.

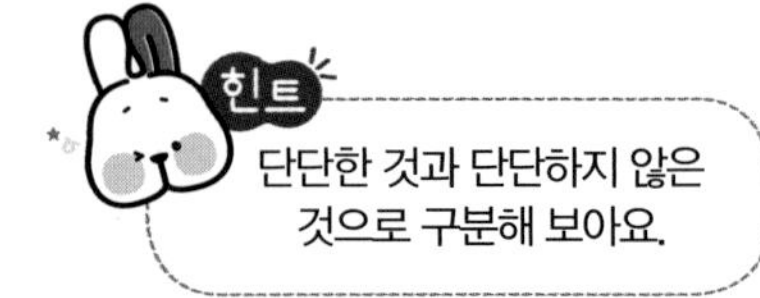

2 보기 의 낱말 뜻을 보고, 다음 문장에 알맞은 낱말을 찾아 각각 ◯표를 하세요.

보기

낮다	높이나 소리가 기준이나 보통 정도보다 아래거나 작다.
낫다	보다 더 좋거나 앞서 있다.
낳다	배 속의 아이, 새끼, 알을 몸 밖으로 내놓다.

(1) 

이 옷이 저 옷보다 (낮다 , 낫다 , 낳다).

(2) 

한라산은 백두산보다 높이가 (낮다 , 낫다 , 낳다).

(3) 

돼지가 새끼를 (낮았다 , 낫았다 , 낳았다).

재미있는 독해 게임으로 독해력 쑥쑥

▶ 정답 및 해설 15쪽

펭귄은 남극에서 산다고 해요. 그런 펭귄이 사는 남극의 모습을 생각하며 다음 숨은그림 찾기를 해 보아요.

찾아야 할 그림: 컵, 빗, 밤, 편지 봉투, 수박

「펭귄은 새일까? 아닐까?」의 내용을 떠올리며 **펭귄이 사는 남극의 모습**을 더 알아봅니다.

2주 3일

이야기 (문학)

오즈의 마법사

공부한 날 월 일

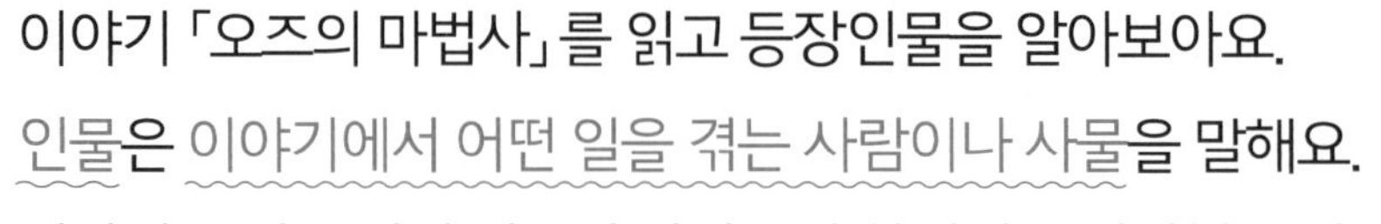

이야기의 등장인물을 알아보자!

이야기 「오즈의 마법사」를 읽고 등장인물을 알아보아요.
인물은 이야기에서 어떤 일을 겪는 사람이나 사물을 말해요.
이야기를 읽고 어떤 인물이 나왔는지 차례대로 정리해 보아요.

똑똑한 하루 독해 미리 보기

▶정답 및 해설 16쪽

2주 3일

● 오늘 공부할 글의 그림을 미리 보고, 빈칸에 알맞은 낱말을 각각 찾아 쓰세요.

모험 양철 여행

도로시와 토토가 허수아비, ❶ (　　　) 나무꾼, 사자와 함께 어떤 소원이든지 들어준다는 오즈의 마법사를 찾아 ❷ (　　　) 을 떠났어요. 모두 어떤 소원을 빌러 찾아가는 것일까요?

통조림통 따위를 만드는 데 쓰는 얇은 철판.

위험을 참고 견디며 어떠한 일을 함. 또는 그 일.

오즈의 마법사에게 어떤 소원을 말할까?

「오즈의 마법사」 영화 주제곡 듣기

오즈의 마법사

라이먼 프랭크 바움

스스로 독해

◯ 속 낱말을 모두 색칠해 보아요. 이 이야기에서 도로시가 만나게 되는 인물들이랍니다.

앞이야기

도로시는 갑자기 몰아친 회오리바람 때문에 강아지 토토와 함께 낯선 곳에 떨어졌어요. 집에 돌아가고 싶은 도로시는, 어떤 소원이든 들어준다는 오즈의 마법사를 찾아 에메랄드 성으로 모험을 떠났지요. 그러던 어느 날, 도로시는 함께 모험을 하게 될 세 친구들을 만나게 되었어요.

"㉠무서워하지 마. 모두들 나를 보고 동물의 왕이라고 하지만, 사실 나는 겁쟁이 사자란다. 나도 너와 함께 오즈의 마법사님께 가서 용기를 얻고 싶어."

그러자 옆에 있던 허수아비가 말했습니다.

"나는 바보라고 놀림받기 싫어. 나는 생각할 수 있는 뇌를 갖고 싶어."

양철 나무꾼도 얼른 말했습니다.

"나는 온몸이 양철로 되어 있어서 가슴이 텅 비었어. 나는 사랑을 할 수 있는 심장을 갖고 싶어."

어휘 풀이

- **회오리바람** 빠르게 빙빙 돌면서 세차게 올라가는 바람.
- **모험** | 무릅쓸 모 冒, 험할 험 險 | 위험을 참고 견디며 어떠한 일을 함. 또는 그 일.
  - 예 나는 「톰 소여의 모험」과 같은 모험 이야기를 좋아한다.
- **양철** | 큰 바다 양 洋, 쇠 철 鐵 | 통조림통 따위를 만드는 데 쓰는 얇은 철판.
  - 예 비가 오자 양철 지붕에서 요란한 소리가 났다.

▲ 회오리바람

▶정답 및 해설 16쪽

1 문법

㉠과 같이 무엇을 하도록 시키는 문장은 무엇인가요? (　　　　　)

① 우리 모두 함께 가자.

② 이 구두는 정말 예쁘구나!

③ 이 노란 돌길을 쭉 따라가면 된단다.

④ 오즈의 마법사님은 어디에 계시지요?

⑤ 네 구두의 뒷굽을 세 번 부딪치고 소원을 말해라.

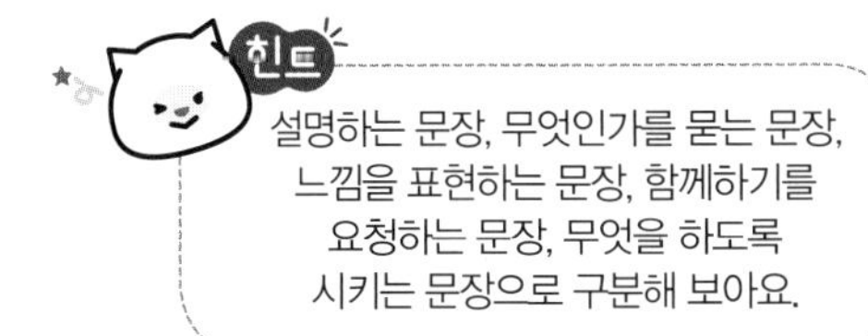

2주 3일

2 이해

서술형

오즈의 마법사는 어떤 능력이 있는지 쓰세요.

오즈의 마법사는 ____

3 요약

스스로 독해 해결!

이 이야기의 등장인물과 그들의 소원이 무엇인지 정리하여 각각 빈칸에 쓰세요.

등장인물	이루고 싶은 소원
도로시	집으로 돌아가고 싶어.
❶	용기를 얻고 싶어.
❷	생각할 수 있는 뇌를 갖고 싶어.
❸ 나무꾼	사랑을 할 수 있는 심장을 갖고 싶어.

▶ 정답 및 해설 16쪽

1

다음 사진 중 「오즈의 마법사」에 나오는 양철 나무꾼처럼 '양철'로 만들어진 지붕은 무엇인지 알맞은 사진을 골라 ○표를 하세요.

(1) (　　　)　(2) (　　　)　(3) (　　　)

힌트: 지붕은 기와, 벽돌, 양철 등으로 만들어요.

2

다음은 「오즈의 마법사」 앞부분에 나오는 내용이에요. 문장에 알맞은 말을 골라 ○표를 하세요.

• 도로시와 토토는 (산들바람 , 회오리바람)에 휘말려 빙글빙글 돌며 떠올랐어요.

3

다음 문장의 빈칸에 공통으로 들어갈 알맞은 낱말을 보기 에서 찾아 쓰세요.

보기
모험
체험

• 나는 재미있는 ＿＿＿＿ 이야기를 좋아한다.

• 우리들은 실패를 무릅쓰고 ＿＿＿＿에 나서기로 했다.

▶정답 및 해설 16쪽

◎ 도로시와 토토가 에메랄드 성으로 오즈의 마법사를 만나러 가는 길이에요. 보기 의 화살표를 따라 길을 갈 때 어떤 길로 가게 될지 길을 노란색으로 칠하고, 도로시와 토토가 만나는 인물을 순서대로 쓰세요.

보기
↓ → → → ↓ ↓ ← ↓ →

도로시와 토토가 만나는 인물

→ →

「오즈의 마법사」의 내용을 떠올리며 도로시가 에메랄드 성으로 가는 길에 만난 인물들을 정리해 보면서 **이 이야기의 등장인물**을 알 수 있습니다.

2주 4일

문화(비문학)

빙글빙글 강강술래

공부한 날 월 일

일의 방법을 찾아라!

여럿이 손을 잡고 둥글게 서서 "강강술래~." 하며

빙글빙글 도는 모습을 본 적이 있나요?

「빙글빙글 강강술래」를 읽으며 강강술래는 어떻게 하는 것인지

그 방법을 찾아보아요.

▶정답 및 해설 17쪽

● 오늘 공부할 글의 그림을 미리 보고, 빈칸에 알맞은 낱말을 보기에서 각각 찾아 쓰세요.

보기

민속놀이　　강강술래　　비롯되다

❶ 

일반 백성들 사이에 전하여 내려오는 놀이.

예 강강술래는 우리나라 남쪽 바닷가 지역에서 전해 내려오는 ○○○○이다.

❷

처음으로 시작되다.

예 강강술래는 적에게 우리 군사가 많아 보이게 하려는 데서 ○○○○.

❸ 

여러 사람이 함께 손을 잡고 원을 그리며 빙빙 돌면서 춤을 추고 노래를 부르는 민속놀이.

예 ○○○○를 하는 동안 사람들은 마음을 하나로 모았어요.

강강술래? 술래잡기할 때 부르는 건가?

강강술래 하는 동영상 보기

빙글빙글 강강술래

스스로 독해

강강술래는 어떻게 하는 민속놀이일까요? 점선 부분을 따라 선을 그으며 강강술래 하는 방법을 알아보아요.

'한가위'라고도 불리는 추석에는 그 어느 때보다도 크고 둥근 달이 떠요. 환한 달밤에 여자들은 손을 잡고 둥글게 서서 빙글빙글 돌면서 노래를 부르지요. 이걸 바로 '강강술래'라고 해요. 강강술래는 우리나라 남쪽 바닷가 지역에서 전해 내려오는 민속놀이랍니다.

강강술래는 언제 어떻게 시작되었을까요? 일본이 우리나라를 쳐들어왔던 옛날에, 바다를 지키던 이순신 장군이 적들이 쳐들어오는 것을 감시하려고 불을 피워 놓고 춤을 추게 하면서부터 강강술래가 시작되었다는 이야기가 있어요. 또 이순신 장군이 우리 군사가 많아 보이게 하려고 여자들에게 남자 옷을 입혀 빙빙 돌게 했다는 데서 비롯되었다고도 해요.

강강술래를 할 때에는 먼저 손에 손을 잡고 둥글게 선 다음, 한 사람이 노래를 불러요. 그러면 나머지 사람들은 "강강술래!" 하고 후렴을 따라 하며 빙글빙글 돌기 시작해요. 처음에는 느리게 시작하다가 조금씩 빨라져서, 나중에는 노래도 움직임도 숨이 찰 만큼 빨라지지요.

이렇게 강강술래를 하는 동안 사람들은 서로 발과 노래를 맞추면서 마음을 하나로 모았어요.

어휘 풀이

- **민속**|백성 민 民, 풍속 속 俗|**놀이** 일반 백성들 사이에 전하여 내려오는 놀이. 각 지방의 생활과 풍속이 잘 나타나 있음. ㉠ 씨름은 우리나라의 대표적인 민속놀이이다.
- **비롯되었다** 처음으로 시작되었다. ㉠ 두 친구의 다툼은 사소한 일에서 비롯되었다.
- **후렴**|뒤 후 後, 거둘 렴 斂| 노래 곡조 끝에 붙여 같은 가락으로 되풀이하여 부르는 짧은 몇 마디의 가사. ㉠ 친구들과 다 같이 애국가의 후렴을 따라 불렀다.

▶정답 및 해설 17쪽

1 어휘

'추석'을 부르는 다른 이름은 무엇인가요? (　　　　)

① 설날　② 단오　③ 한가위
④ 대보름　⑤ 수릿날

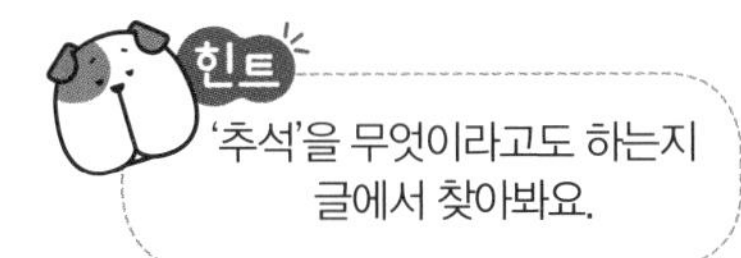

서술형

2 이해

강강술래는 어떻게 시작된 것인지 알맞은 내용을 쓰세요.

- 이순신 장군이 적들이 쳐들어오는 것을 감시하려고 불을 피워 놓고 춤을 추게 하면서부터 시작되었다.
- 이순신 장군이 우리 군사가 많아 보이게 하려고 ______________ ______________________________는 데서 비롯되었다.

3 이해

강강술래를 할 때 노래와 움직임의 속도는 어떻게 되는지 알맞은 말에 각각 ○표를 하세요.

처음에는 (1) (느리게 , 빠르게) 시작하다가 나중에는 점점 (2) (느려진다 , 빨라진다).

스스로 독해 해결!

4 요약

강강술래는 어떻게 하는 놀이인지 정리하여 빈칸에 알맞은 말을 각각 쓰세요.

❶ ______ 을 잡고 둥글게 선 다음, 한 사람이 먼저 노래를 부른다. 나머지 사람들은 "❷ ______________!" 하고 후렴을 따라 하며 점점 빠르게 빙글빙글 돈다.

기초 집중 연습으로 어휘력 튼튼

▶정답 및 해설 17쪽

1

다음 뜻을 가진 낱말을 보기 에서 각각 찾아 쓰세요.

보기

감시 군사 후렴 추석

(1) 단속하기 위하여 주의 깊게 살핌. →

(2) 노래 곡조 끝에 붙여 같은 가락으로 되풀이하여 부르는 짧은 몇 마디의 가사.

→

2

다음 낱말의 뜻과 만화를 보고 문장에 알맞은 낱말을 골라 ○표를 하세요.

마치다 어떤 일이나 과정, 절차 따위가 끝나다.

맞추다 서로 어긋남이 없이 조화를 이루다.

• 사람들은 서로 발과 노래를 (마치며 , 맞추며) 강강술래를 하였다.

3

다음 낱말을 모두 포함하는 낱말을 보기 에서 찾아 쓰세요.

보기

민속춤

민속 음악

민속놀이

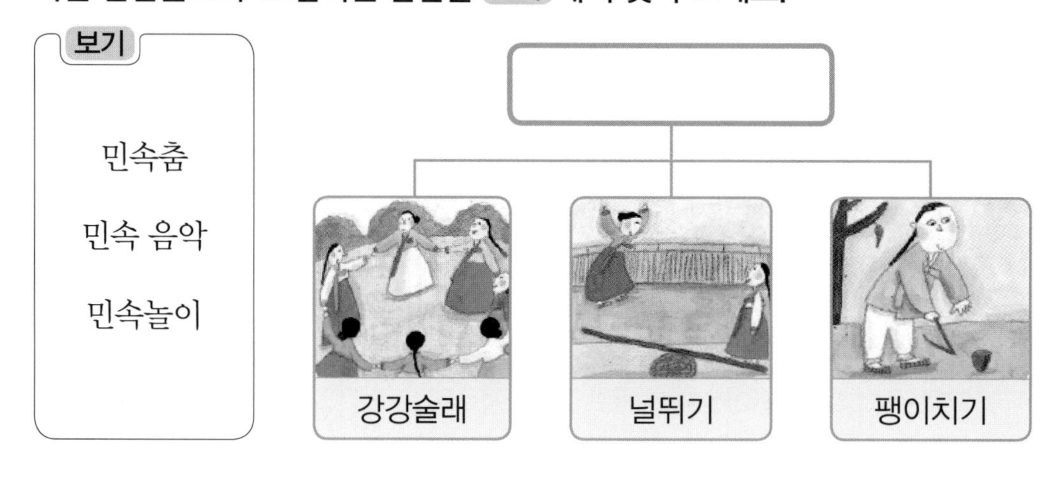

재미있는 독해 게임으로 독해력 쑥쑥

▶정답 및 해설 17쪽

◉ 민속놀이 한마당 잔치가 열렸어요. 강강술래 놀이에 참여하기 위해 친구들이 어떻게 길을 찾아가야 할지 선으로 표시해 보세요.

강강술래는 어떻게 하는 놀이인지 글의 내용을 떠올리며, 강강술래를 하는 곳으로 길을 찾아가 봅니다. 또 **현재까지 전해 내려오는 또 다른 민속놀이**에는 무엇이 있는지 살펴봅니다.

2주 5일

생활 속 독해

양치질을 바르게 해요

공부한 날 월 일

일하는 방법에 따라 내용을 정리하며 읽어 보자!

일하는 방법에 따라 「양치질을 바르게 해요」의 내용을 정리해 보세요.
일하는 방법을 알려 주는 글을 읽을 때에는
어떤 일을 하는 방법인지 알아보고,
일할 때 주의할 점이 무엇인지 정리하며 읽어야 해요.

▶정답 및 해설 18쪽

● 오늘 공부할 글과 그림을 미리 보고, 알맞은 낱말을 각각 찾아 표시하세요.

충치를 예방하려면 하루에 3회, 식후 3분 이내에 3분 이상 양치질을 해야 합니다.

1 '세균 따위의 영향으로 벌레가 파먹은 것처럼 이가 상하는 병.'이라는 뜻의 낱말을 찾아 ○표를 하세요.

2 '질병이나 재해 따위가 일어나기 전에 미리 대처하여 막는 일.'이라는 뜻의 낱말을 찾아 △표를 하세요.

이 닦기 방법에 대해 자세히 알아보기

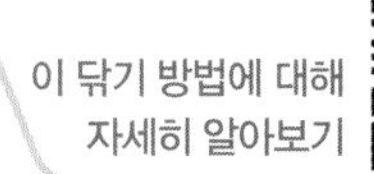

양치질을 바르게 해요

스스로 독해

어떤 일을 하는 방법을 알려 주는 글일까요? ( ) 속 낱말을 색칠해 보면 알 수 있어요.

충치를 예방하려면 하루에 3회, 식후 3분 이내에 3분 이상 양치질을 해야 합니다. 다음 방법대로 양치질을 해 보세요.

1

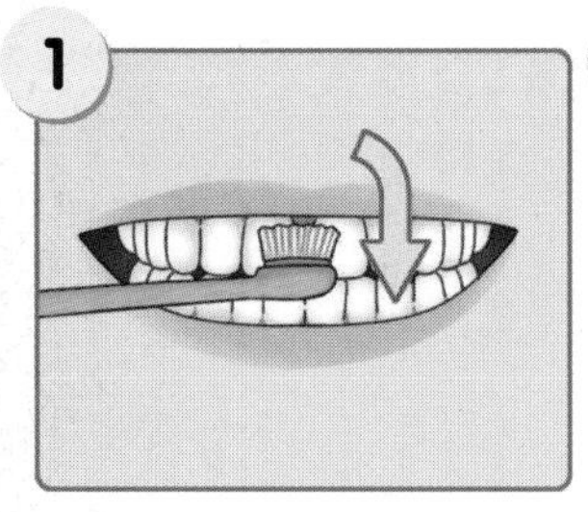

윗니는 위에서 아래로, 잇몸에서 치아 방향으로 닦습니다.

2

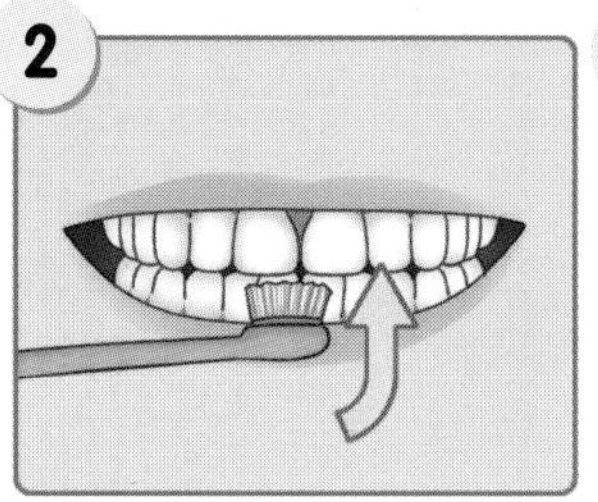

아랫니는 아래에서 위로, 잇몸에서 치아 방향으로 닦습니다.

3

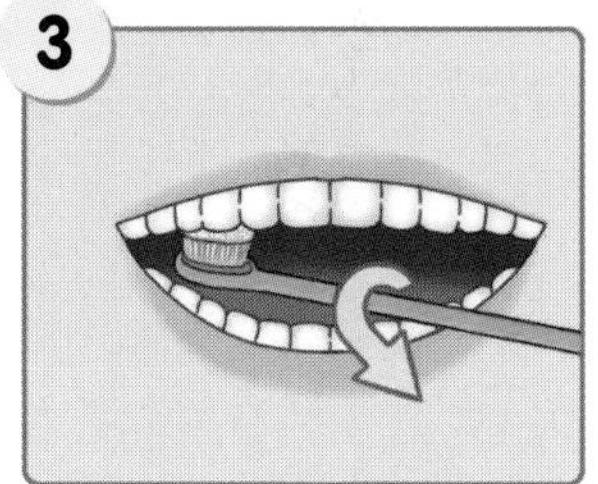

어금니의 안쪽 면과 바깥 면은 잇몸에서 치아 방향으로 칫솔을 돌리며 닦습니다.

4

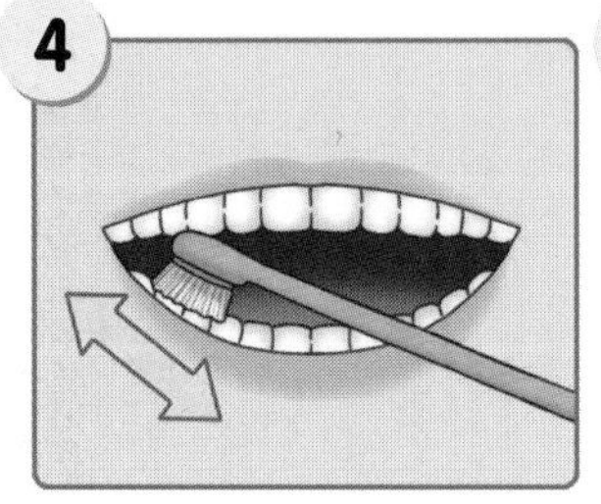

어금니의 씹는 면은 앞뒤로 닦습니다.

5

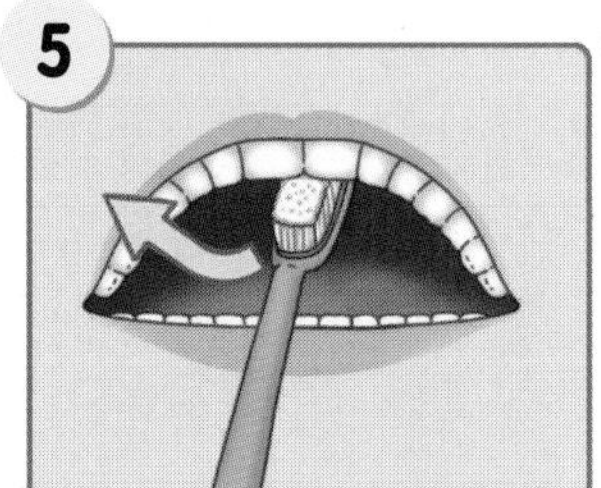

앞니의 안쪽은 칫솔모를 세워서 닦습니다.

6

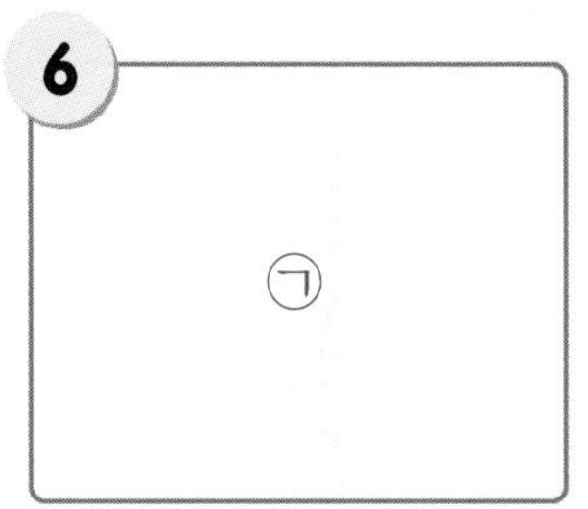

혀는 안쪽에서 바깥쪽으로 닦습니다.

어휘 풀이

- **충치** | 벌레 충 蟲, 이 치 齒 | 세균 따위의 영향으로 벌레가 파먹은 것처럼 이가 상하는 병.
  ㉠ 단것을 먹고 양치질을 안 해서 충치가 생겼다.
- **예방** | 미리 예 豫, 막을 방 防 | 질병이나 재해 따위가 일어나기 전에 미리 대처하여 막는 일.
  ㉠ 손을 잘 씻으면 감기와 같은 질병을 예방할 수 있다.
- **식후** | 먹을 식 食, 뒤 후 後 | 밥을 먹은 뒤. ㉠ 식후에 과일을 먹었다.
- **양치질** 이를 닦고 물로 입 안을 깨끗이 씻는 일. ㉠ 밥을 먹고 양치질을 했다.

스스로 독해 해결!

1 이해

이 글은 어떤 일을 하는 방법을 알려 주는 글인가요? (　　　　)

① 이를 빼는 방법　　② 손을 닦는 방법
③ 이를 닦는 방법　　④ 칫솔을 관리하는 방법
⑤ 충치를 치료하는 방법

서술형

2 이해

양치질을 해야 하는 까닭은 무엇인지 쓰세요.

____________________________하기 위해서이다.

3 유추

㉠에 들어갈 그림으로 알맞은 것은 무엇일지 짐작하여 ○표를 하세요.

(1) 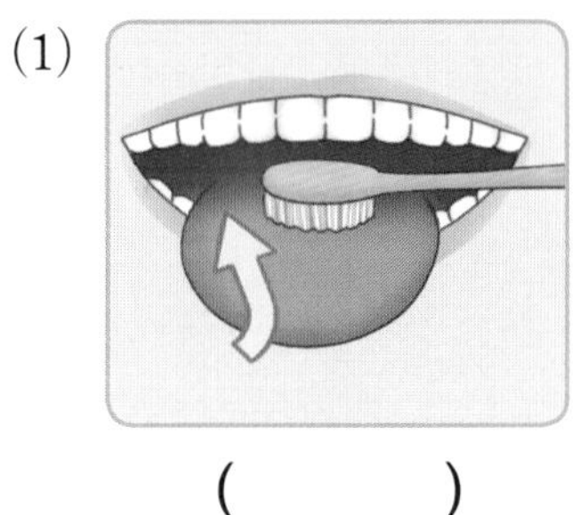

(　　　)

(2) 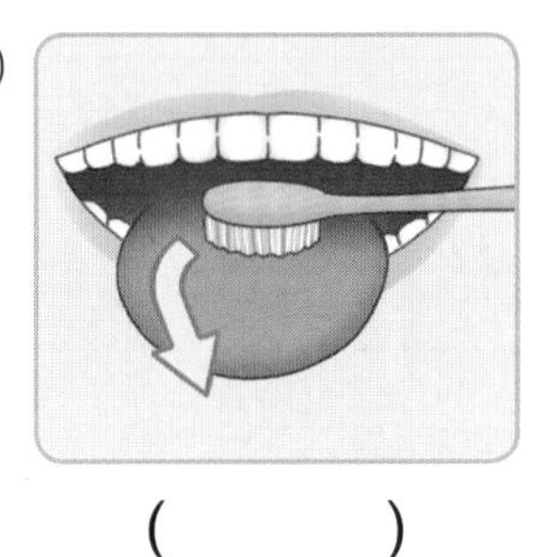

(　　　)

힌트 혀를 닦을 때 칫솔이 움직이는 방향을 생각해 보아요.

4 요약

이 글의 내용을 정리하여 빈칸에 알맞은 말을 각각 쓰세요.

윗니와 아랫니	윗니는 위에서 ❶ 　　　　로, 아랫니는 아래에서 위로, 잇몸에서 치아 방향으로 닦기
어금니	안쪽 면과 바깥 면은 잇몸에서 치아 방향으로 칫솔을 돌리며 닦고, 씹는 면은 ❷ 　　　　로 닦기
앞니	안쪽은 칫솔모를 세워서 닦기
혀	안쪽에서 바깥쪽으로 닦기

▶정답 및 해설 18쪽

1 「양치질을 바르게 해요」에 나오는 다음 문장의 밑줄 그은 낱말과 뜻이 반대인 말을 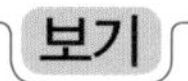 보기 에서 각각 찾아 쓰세요.

보기

식간 　식전 　아래쪽 　바깥쪽

(1) <u>식후</u> 3분 이내에 3분 이상 양치질을 해야 합니다.

↔ ☐☐

(2) 앞니의 <u>안쪽</u>은 칫솔모를 세워서 닦습니다.

↔ ☐☐☐

2 다음 그림에 알맞은 이의 이름을 보기 에서 각각 찾아 쓰세요.

보기

- 앞니: 앞쪽으로 아래위에 각각 네 개씩 나 있는 이.
- 송곳니: 앞니와 어금니 사이에 있는 뾰족한 이.
- 어금니: 송곳니의 안쪽에 있는 큰 이.

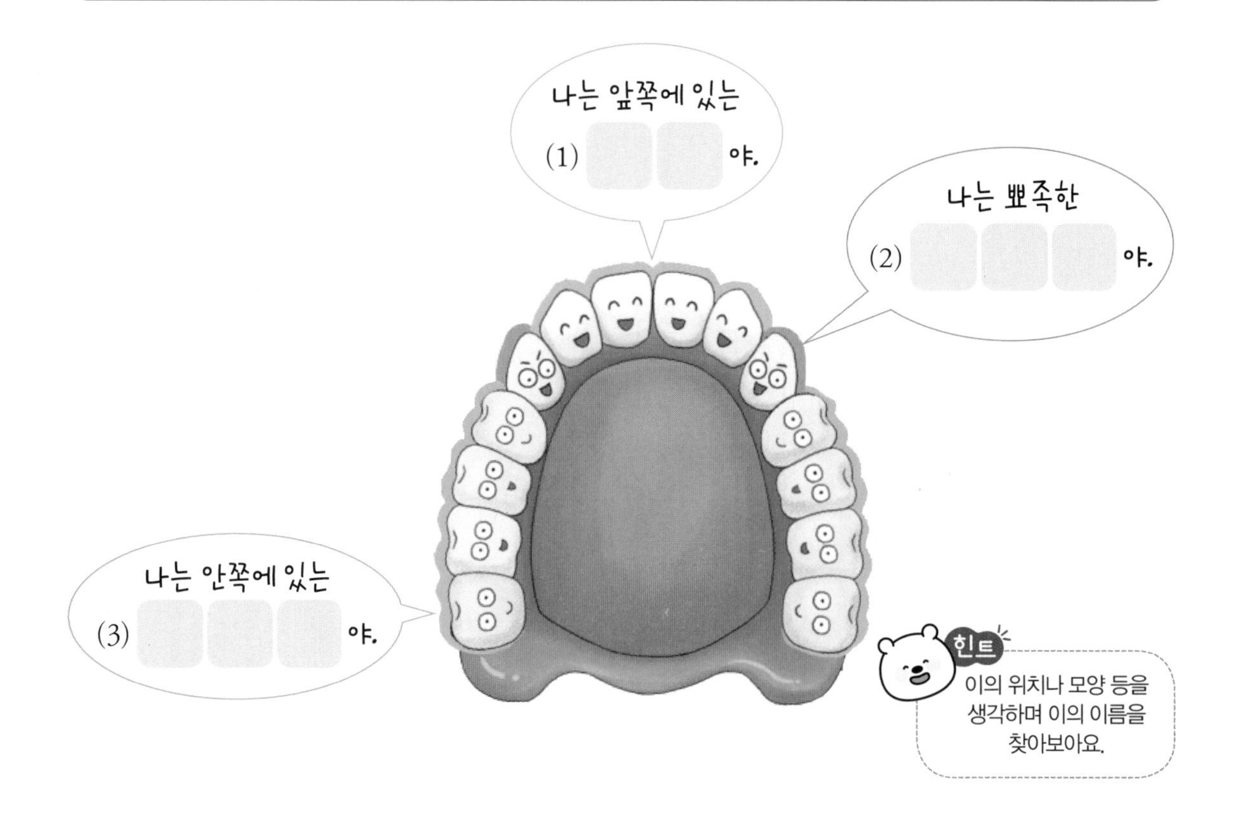

▶정답 및 해설 18쪽

「양치질을 바르게 해요」를 읽고, 양치질을 할 때 필요한 도구들을 사려고 해요. 양치질에 필요한 도구를 두 가지 골라 빈칸에 기호를 쓰고, 그 도구를 모두 사려면 얼마가 필요한지 계산하여 숫자를 쓰세요.

양치질을 할 때 필요한 도구는 (1) 　　　　　　　　 이므로, 이 두 가지를 모두 사려면 (2) 　　　　　　　　 원이 필요하다.

「양치질을 바르게 해요」의 내용을 떠올리며 **양치질을 할 때 필요한 물건**을 알아보고 **덧셈을 하여** 물건값을 계산해 봅니다.

2주 누구나 100점 테스트

[1~2] 다음 글을 읽고, 물음에 답하세요.

그때 ㉠빗물 밑에 ㉡조용이 있던 작은 풀잎이 ㉢혼잣말처럼 중얼거렸습니다.

"행복이란 남을 위해 무슨 일인가 할 때 생기는 거야."

빗물들은 자기 ㉣밑에 있는 풀잎들을 바라보았습니다.

바짝 마르고 ㉤볼품이 없어서 빗물들도 관심을 두지 않았던 풀잎이었습니다.

1 ㉠~㉤ 중 잘못 쓰인 낱말을 고르세요. ( )

① ㉠ ② ㉡ ③ ㉢ ④ ㉣ ⑤ ㉤

2 풀잎은 행복이 무엇이라고 하였는지 빈칸에 알맞은 말을 쓰세요.

• ______ 을 위해 무슨 일인가 할 때 생기는 것이다.

[3~5] 다음 글을 읽고, 물음에 답하세요.

㉠새는 알을 낳아 번식하는데 펭귄은 새끼가 아닌 알을 낳아. 암컷의 뱃속에서 만들어져 세상에 나온 알은 적정한 온도와 습도 아래서 서서히 그 모습을 갖추고, 새끼는 껍데기를 깨고 나오지.

㉡또 펭귄은 새의 특징인 부리와 날개도 갖고 있어. 부리가 있기 때문에 펭귄의 얼굴을 자세히 보면 새처럼 보이기도 하지. ㉢또 펭귄이 날개를 펼친 모습도 종종 봤을 거야.

3 문장 ㉠~㉢ 중 중심 문장이 아닌 것의 기호를 쓰세요.

( )

4 이 글의 내용으로 알맞지 않은 것에 ×표를 하세요.

(1) 펭귄은 알을 낳는다. ( )

(2) 펭귄은 날개가 없다. ( )

(3) 펭귄은 부리를 가지고 있다. ( )

5 다음 중 알맞은 말에 ○표를 하세요.

• 펭귄은 (새이다 , 새가 아니다).

[6~7] 다음 글을 읽고, 물음에 답하세요.

"사실 나는 겁쟁이 사자란다. 나도 너와 함께 오즈의 마법사님께 가서 용기를 얻고 싶어."
그러자 옆에 있던 허수아비가 말했습니다.
"나는 바보라고 놀림받기 싫어. 나는 생각할 수 있는 뇌를 갖고 싶어."
양철 나무꾼도 얼른 말했습니다.
"나는 온몸이 양철로 되어 있어서 가슴이 텅 비었어. 나는 사랑을 할 수 있는 심장을 갖고 싶어."

6 이 이야기의 등장인물들은 누구를 찾아가고 있는지 여섯 글자로 찾아 쓰세요.

( )

7 이 이야기의 등장인물과 등장인물들의 소원을 각각 선으로 이으세요.

(1) 사자 •　　• ① 사랑을 할 수 있는 심장을 갖고 싶어.

(2) 허수아비 •　　• ② 생각할 수 있는 뇌를 갖고 싶어.

(3) 양철 나무꾼 •　　• ③ 용기를 얻고 싶어.

[8~10] 다음 글을 읽고, 물음에 답하세요.

(가) '한가위'라고도 불리는 추석에는 그 어느 때보다도 크고 둥근 달이 떠요. 환한 달밤에 여자들은 손을 잡고 둥글게 서서 빙글빙글 돌면서 노래를 부르지요. 이걸 바로 '강강술래'라고 해요. 강강술래는 우리나라 남쪽 바닷가 지역에서 전해 내려오는 민속놀이랍니다.

(나) 먼저 손에 손을 잡고 둥글게 선 다음, 한 사람이 노래를 불러요. 그러면 나머지 사람들은 "강강술래!" 하고 후렴을 따라 하며 빙글빙글 돌기 시작해요. 처음에는 느리게 시작하다가 조금씩 빨라져서, 나중에는 노래도 움직임도 숨이 찰 만큼 빨라지지요.

8 '한가위'는 무엇을 부르는 말인지 쓰세요.

( )

9 강강술래에 대한 설명으로 알맞지 않은 것에 ×표를 하세요.

(1) 환한 달밤에 하는 놀이이다. ( )

(2) 우리나라 서쪽 바닷가 지역에서 전해 내려오는 민속놀이이다. ( )

10 강강술래는 어떻게 하는 놀이인지 알맞게 말한 친구의 이름에 ○표를 하세요.

지희: 노래를 부르며 팽이를 채로 쳐서 누가 오래 돌리는지 겨뤄.
유솔: 손을 잡고 둥글게 선 다음, 한 사람이 먼저 노래를 부르고 나머지 사람들은 "강강술래!" 하고 후렴을 따라 하며 점점 빠르게 빙글빙글 돌아.

창의

1 다음 만화를 읽고, 2주차에서 배운 낱말을 떠올려 어휘 퀴즈에 알맞은 낱말을 빈칸에 각각 쓰세요.

▶정답 및 해설 19쪽

어휘 퀴즈

❶ '공기 가운데 수증기가 들어 있는 정도.'를 뜻하는 말은? →

❷ '강강술래, 윷놀이, 제기차기 등은 우리나라의 ○○○○이다.'의 빈칸에 들어갈 알맞은 말은? →

❸ '노래 곡조 끝에 붙여 같은 가락으로 되풀이하여 부르는 짧은 몇 마디의 가사.'를 뜻하는 말은? →

코딩

2 「펭귄은 새일까? 아닐까?」를 읽고 펭귄의 모습이 궁금해진 다영이가 펭귄을 보러 아쿠아리움에 갔어요. 아쿠아리움에 도착한 다영이가 펭귄을 보러 가려면 어떻게 코딩하면 될지 알맞은 것에 ◯표를 하세요.

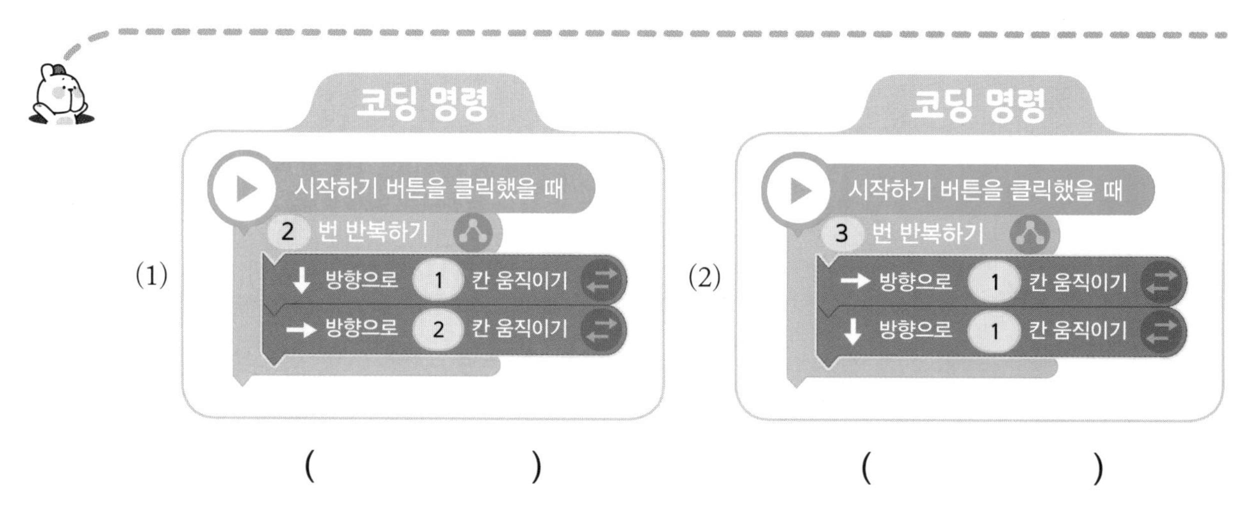

(1) (　　　　　)

(2) (　　　　　)

▶정답 및 해설 19쪽

융합

3 「양치질을 바르게 해요」를 읽고, 일맞은 시간에 양치를 한 그림에 ○표를 하세요.

충치를 예방하려면 하루에 3회, 식후 3분 이내에 3분 이상 양치질을 해야 합니다.

(1) (　　　　　　　　　)　　　(2) (　　　　　　　　　)

창의

4 회장 선거 후보 포스터를 보고 알맞은 낱말에 ○표를 하세요.

생활 어휘

3학년 5반 회장 선거 후보

기호 1 안아라

나의 공약

하나. 다툼이나 따돌림이 없는 반을 만들겠습니다.

둘. 공부도 1등! 운동도 1등! 청소도 1등! 무엇이든 최고의 반이 되도록 함께 노력하겠습니다.

셋. 어려운 일에 항상 앞장서고, 다른 친구들의 모범이 되도록 노력하겠습니다.

저를 뽑아 주신다면 1학기 내내 우리 반을 위해 최선을 다하겠습니다.

얘들아! 회장이 되기 위해 선거에 일정한 자격을 갖추어 나선 사람을 (1) (후보 , 투표)라고 해. 그리고 공약은 자신이 뽑히면 어떤 일을 할 것인지 (2) (약속 , 거짓말)하는 내용이야. 그러니까 회장 선거를 할 때에는 회장 후보의 공약을 잘 보고 뽑도록 해.

어휘 풀이

- **후보**| 기후 후 候, 기울 보 補 | 선거에서, 어떤 역할이나 신분 등을 얻으려고 일정한 자격을 갖추어 나섬. 또는 그런 사람. ㉠ 전교 학생회장을 뽑는 선거에 후보 등록을 하였다.
- **공약**| 공변될 공 公, 맺을 약 約 | 선거에 나간 후보자 등이 어떤 일에 대하여 국민에게 실행할 것을 약속함. 또는 그런 약속. ㉠ 학생회장 후보의 공약을 들어 보겠습니다.
- **모범**| 법 모 模, 법 범 範 | 본받아 배울 만한 대상. ㉠ 오빠가 5월의 모범 학생 상을 받았다.
- **최선**| 가장 최 最, 착할 선 善 | 온 정성과 힘. ㉠ 모두 최선을 다해 경기를 해 주시기 바랍니다.

▶정답 및 해설 19쪽

창의
5 自(스스로 자) 자에 대해 알아보고, 다음 물음에 답하세요.
생활 한자

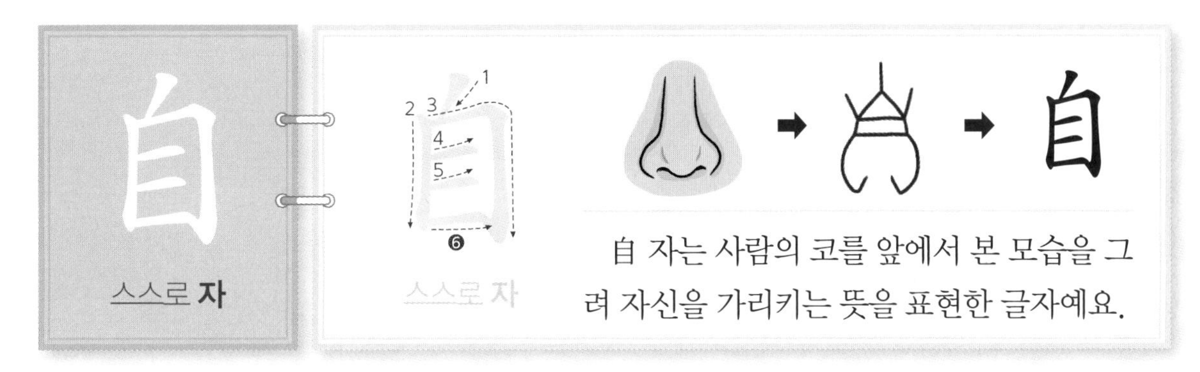

自 자는 사람의 코를 앞에서 본 모습을 그려 자신을 가리키는 뜻을 표현한 글자예요.

(1) 自 자가 들어간 낱말을 알아보고, 한자의 음을 쓰세요.

① 아빠께서 自動으로 청소를 하는 기계를 사 오셨다.

[ ] 동

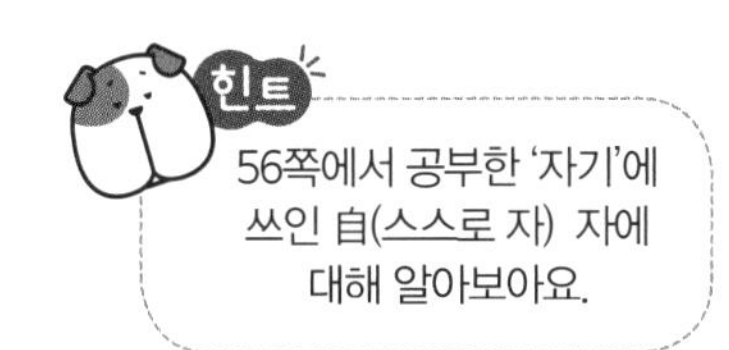

② 아빠와 함께 연습을 한 지은이는 줄넘기 시험에서 만점 받을 自信이 생겼다.

[ ] 신

(2) 한자 성어의 뜻을 알아보고, 빈칸에 알맞은 한자를 쓰세요.

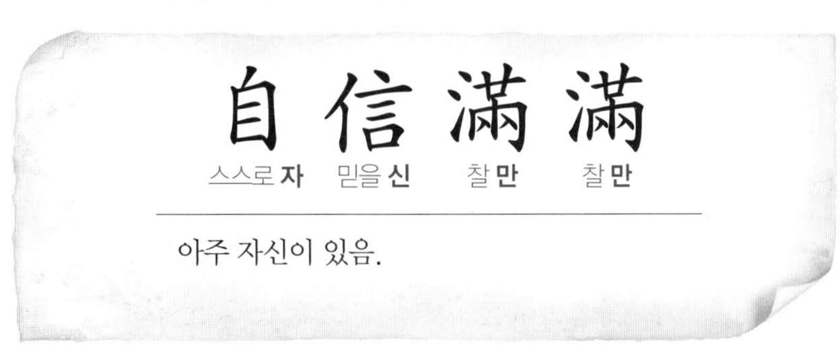

• 축구를 잘하는 영호는 자신만 믿으라며 [ ] 信 滿 滿 (자신만만)했다.

3주

3주에는 무엇을 공부할까? ①

공부할 내용

1일 차이나타운에 다녀와서
2일 새의 부리
3일 꽃밭에서
4일 알에서 태어난 사람이 있을까?
5일 일기 예보

3주 3주에는 무엇을 공부할까? ❷

1-1 다음 밑줄 그은 낱말의 뜻으로 알맞은 것에 ○표를 하세요.

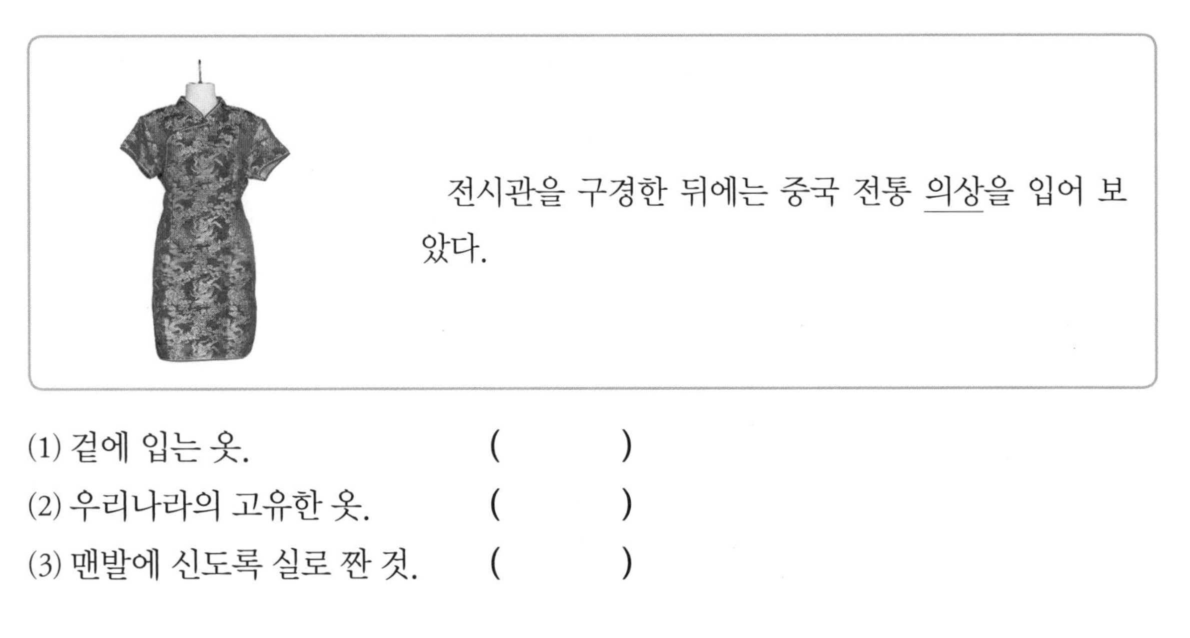

전시관을 구경한 뒤에는 중국 전통 <u>의상</u>을 입어 보았다.

(1) 겉에 입는 옷. ( )
(2) 우리나라의 고유한 옷. ( )
(3) 맨발에 신도록 실로 짠 것. ( )

1-2 다음 빈칸에 공통으로 들어갈 낱말로 알맞은 것에 ○표를 하세요.

- 옷 가게에 갔더니 벌써 가을 □□이 진열되어 있었다.
- 엄마께서는 시원해 보이는 하늘색 □□을 입고 행사에 갈 준비를 하셨다.

힌트 옷 가게에 진열되어 있는 것, 엄마께서 입으실 만한 것이 무엇인지 생각해 보아요.

그림 의상 책상

▶ 정답 및 해설 20쪽

2-1 다음 중 밑줄 그은 낱말의 뜻을 보기 에서 골라 쓰세요.

보기

낮 열두 시　　　밤 열두 시

(　　　　　　)

2-2 다음 밑줄 그은 말과 바꾸어 쓸 수 있는 낱말을 빈칸에 알맞게 쓰세요.

ㅈ ㅈ

힌트
'밤 열두 시.'는 '자정'이라는 낱말의 뜻이에요.

3주 1일

기행문 (문학)

차이나타운에 다녀와서

공부한 날 월 일

여행 경험을 정리하며 읽어 보자!

「차이나타운에 다녀와서」에 나타난 여행 경험을 정리해 보세요.
기행문을 읽을 때에는 여행의 과정이나 일정을 살펴보고
여행을 하며 보고 듣고 생각하거나 느낀 것이 무엇인지 정리하며
읽으면 된답니다.

똑똑한
하루 독해 미리 보기

▶ 정답 및 해설 20쪽

● 오늘 공부할 글의 사진을 미리 보고, 빈칸에 알맞은 낱말을 보기 에서 각각 찾아 쓰세요.

보기

유물　　　전통　　　거리

❶ 

사람이나 차가 많이 다니는 길.

예 차이나타운은 외국에서 사는 중국 사람들이 세운 중국식 ○○이다.

❷ 

앞선 시대에 살았던 사람들이 뒤에 오는 세대나 시대에 남긴 물건.

예 중국의 문화를 엿볼 수 있는 ○○이 전시되어 있다.

❸ 

어떤 집단이나 공동체에서, 지난 시대에 이미 이루어져 전하여 내려오는 사상·관습·행동 따위의 양식.

예 어머니께서 중국 ○○ 의상을 '치파오'라고 한다고 설명하셨다.

차이나타운에 대해 자세히 알아보기

차이나타운에 다녀와서

스스로 독해
글쓴이는 언제 어디로 여행을 갔을까요? 점선 부분을 따라 선을 그으며 읽어 보고 답을 찾아보세요.

지난 주말, 나는 가족들과 함께 인천에 있는 차이나타운을 다녀왔다. 평소 중국 문화에 관심이 많았던 아버지께서 추천해 주신 여행 장소였기 때문이다. 차이나타운은 외국에서 사는 중국 사람들이 세운 중국식 거리이다. 인천에는 종종 다녀왔지만 차이나타운은 처음이라 설레었다.

가장 먼저 (㉠) 곳은 한중 문화관이었다. 전시관에는 중국의 역사, 문화, 생활상을 엿볼 수 있는 그림이나 유물 등이 전시되어 있었다. 그중에서도 중국의 소수 민족 인형들을 자세히 보았다. 아름답고 특색 있는 모습이 인상 깊게 느껴졌다.

전시관을 구경한 뒤에는 중국 전통 의상을 입어 보았다. 옷을 입기 전에 어머니께서 중국 전통 의상을 '치파오'라고 한다고 설명하시는 것을 들었다. 나는 치파오를 직접 입어 볼 수 있어서 기분이 좋았다.

어휘 풀이

- **거리** 사람이나 차가 많이 다니는 길. ㉮ 거리가 지나가는 사람들로 가득했다.
- **유물** | 남길 유 遺, 만물 물 物 | 앞선 시대에 살았던 사람들이 뒤에 오는 세대나 시대에 남긴 물건. ㉮ 공사 현장에서 고려 시대의 유물을 발굴했다.
- **소수 민족** | 적을 소 少, 셀 수 數, 백성 민 民, 겨레 족 族 | 여러 민족으로 이루어진 나라에서, 주가 되는 민족보다 인구수가 적고 언어와 관습 등이 다른 민족. ㉮ 중국에는 소수 민족들이 살고 있다.
- **전통** | 전할 전 傳, 거느릴 통 統 | 어떤 집단이나 공동체에서, 지난 시대에 이미 이루어져 전하여 내려오는 사상·관습·행동 따위의 양식. ㉮ 윷놀이는 우리나라의 전통 놀이이다.
- **의상** | 옷 의 衣, 치마 상 裳 | 겉에 입는 옷. ㉮ 한복은 우리 민족 고유의 의상이다.

스스로 독해 해결!

1 이해

글쓴이는 언제 어디로 여행을 다녀왔나요? (　　　　)

① 오늘, 중국　　② 지난 주말, 중국
③ 어제, 인천 차이나타운　　④ 지난 주말, 인천 차이나타운
⑤ 지난 방학, 인천 차이나타운

서술형

2 이해

글쓴이가 여행을 한 까닭이나 목적은 무엇인지 쓰세요.

평소 중국 문화에 관심이 많았던 ______________________

______________________였기 때문이다.

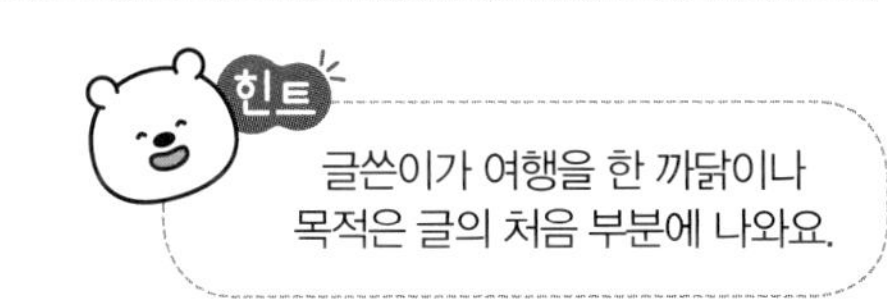

3 어휘

㉠ 안에 들어가기에 알맞은 말은 무엇인가요? (　　　　)

① 들인　　② 들른　　③ 들린
④ 드린　　⑤ 돌린

힌트
'지나는 길에 잠깐 들어가 머무른.'이라는
뜻을 가진 낱말을 찾아보아요.

4 요약

글쓴이가 한중 문화관에서 보고 듣고 생각하거나 느낀 것을 정리하여 빈칸에 알맞은 말을 각각 쓰세요.

보거나 들은 것	생각하거나 느낀 것
다양한 그림, 유물, 중국의 소수 민족 ❶ ______ 을 봄.	아름답고 ❷ ______ 있는 모습이 인상 깊게 느껴짐.
어머니께서 중국 전통 의상을 ❸ ______ 라고 한다고 설명하시는 것을 들음.	중국 전통 의상을 직접 입어 볼 수 있어서 기분이 좋음.

▶ 정답 및 해설 20쪽

1 **다음 문장을 잘 읽고 「차이나타운에 다녀와서」의 내용에서 높임 표현에 알맞은 말을 골라 각각 ◯표를 하세요.**

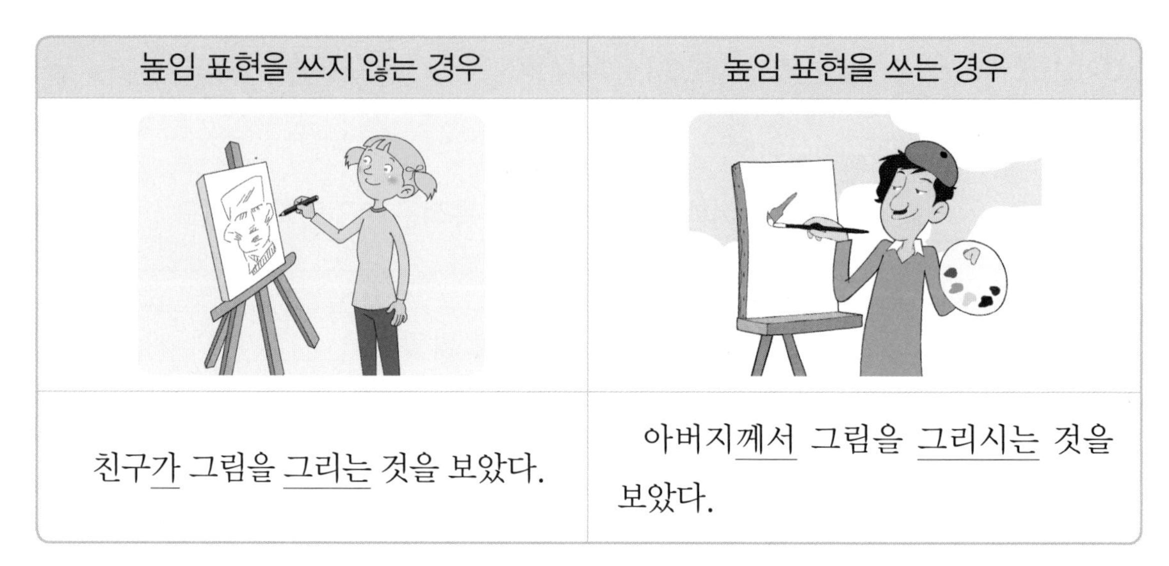

높임 표현을 쓰지 않는 경우	높임 표현을 쓰는 경우
친구가 그림을 그리는 것을 보았다.	아버지께서 그림을 그리시는 것을 보았다.

• 옷을 입기 전에 (1) (어머니가 , 어머니께서) 중국 전통 의상을 '치파오'라고 한다고 (2) (설명하는 , 설명하시는) 것을 들었다.

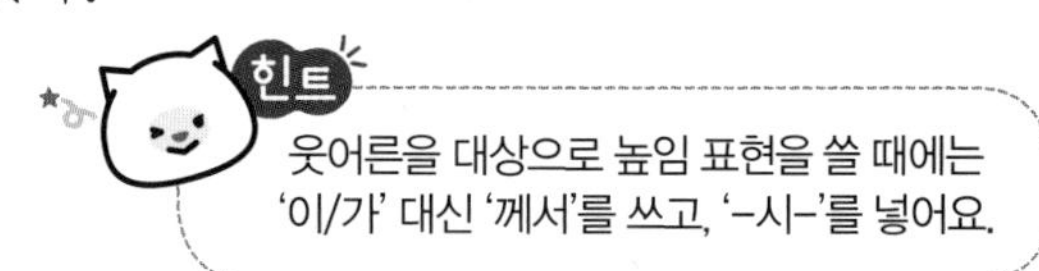

2 **「차이나타운에 다녀와서」에 나오는 다음 문장의 밑줄 그은 낱말과 뜻이 비슷한 말을 각각 찾아 선으로 이으세요.**

(1) 평소 중국 문화에 관심이 많았던 아버지께서 추천해 주셨다. •　　　• ① 가끔

(2) 인천에는 종종 다녀왔지만 차이나타운은 처음이라 설레었다. •　　　• ② 특징

(3) 아름답고 특색 있는 모습이 인상 깊게 느껴졌다. •　　　• ③ 평상시

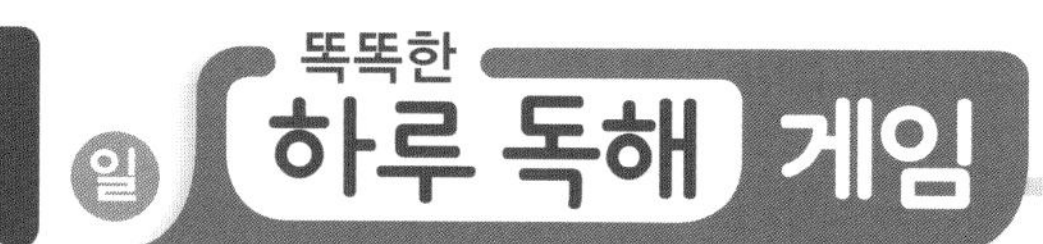

재미있는 독해 게임으로 독해력 쑥쑥

▶정답 및 해설 20쪽

「차이나타운에 다녀와서」의 글쓴이가 여행을 한 전체 일정표입니다. 여행 일정표를 보고 여행을 하는 데 걸린 시간을 계산해 빈칸에 각각 숫자를 쓰세요.

여행 일정표

시간	장소	일정
오전 9:00	한중 문화관	한중 문화관에 도착하여 관람하기
오전 11:00	짜장면 박물관	짜장면 박물관으로 이동하여 관람하기
오후 12:00	식당	식당으로 이동하여 짜장면 먹기
오후 1:30	삼국지 벽화 거리	삼국지 벽화 거리로 이동하여 벽화 감상하기

한중 문화관에 도착하여 관람한 시간은 오전 9시부터 11시까지니까 (1) [ ] 시간 걸렸어.

짜장면 박물관으로 이동하여 관람한 시간은 오전 11시부터 오후 12시까지니까 (2) [ ] 시간 걸렸어.

식당으로 이동하여 짜장면을 먹은 시간은 오후 12시부터 1시 30분까지니까 1시간 30분 걸렸어.

「차이나타운에 다녀와서」의 내용을 떠올리며 **여행을 하는 데 걸린 시간을 계산**해 봅니다.

3주 2일

과학 (비문학)

새의 부리

공부한 날 월 일

중요한 낱말을 찾으며 설명하는 글을 읽어 보자!

「새의 부리」를 읽으며 중요한 낱말이 무엇인지 찾아보세요.
글에서 가장 많이 나오는 낱말을 찾아보거나 제목을 살펴보면
중요한 낱말이 무엇인지 알 수 있답니다.

▶정답 및 해설 21쪽

● 오늘 공부할 글의 그림을 미리 보고, 빈칸에 알맞은 낱말을 각각 찾아 쓰세요.

부리　　수면　　염려

사람들에게 입이 있듯이, 새들에게는 ❶ [　　] 가 있어요.
→새나 일부 짐승의 주둥이.

딱딱한 곡식을 먹는지와 ❷ [　　] 을 찔러 물고기를 잡아먹는지 등 먹이
→물의 겉면.

에 따라 부리의 모양이 달라져요. 새의 부리의 모양은 어떻게 다를까요?

새의 부리에 대해 자세히 알아보기

새의 부리

스스로 독해
이 글에서 가장 중요한 낱말은 무엇일까요? ( ) 속 낱말을 색칠하며 몇 번 나왔는지 세어 보아요.

새의 부리가 위로 휘었어! 어디에 부딪히기라도 한 건가? 새의 부리는 먹이에 따라 다양한 모습을 하고 있어. '뒷부리장다리물떼새'는 얕은 물에서 먹이를 찾는데, 수면을 찔러 물고기를 잡아먹어. 부리가 위로 휘었기 때문에 물의 바닥에 부리가 부딪혀도 부러질 염려가 없지. 반면 딱딱한 곡식을 먹는 새는 짧고 단단한 부리를 가졌고, 육식을 하는 새는 부리가 이빨을 대신하기 때문에 매우 튼튼하고 ㉠ 처럼 날카롭게 휘어진 부리를 가졌어.

▲ 뒷부리장다리물떼새

어휘 풀이

- **부리** 새나 일부 짐승의 주둥이. ㉠ 딱따구리가 부리로 나무를 쪼았다.
- **수면**|물 수 水, 겉 면 面| 물의 겉면. ㉠ 수면에 달의 모습이 비쳤다.
- **염려**|생각할 염 念, 생각할 려 慮| 앞일에 대하여 여러 가지로 마음을 써서 걱정함. 또는 그런 걱정. ㉠ 앞으로 무슨 일을 해야 할지에 대한 염려가 있다.

스스로 독해 해결!

1 이해

이 글에서 가장 중요한 낱말은 무엇인가요? (　　　　)

① 물　　② 곡식　　③ 부리
④ 바닥　　⑤ 육식

서술형

2 이해

'뒷부리장다리물떼새'가 물의 바닥에 부리가 부딪혀도 부러질 염려가 없는 까닭은 무엇인지 쓰세요.

부리가 ______________________________ 때문이다.

3 유추

㉠ 안에 들어가기에 알맞은 말을 짐작하여 ○표를 하세요.

(1) 압정

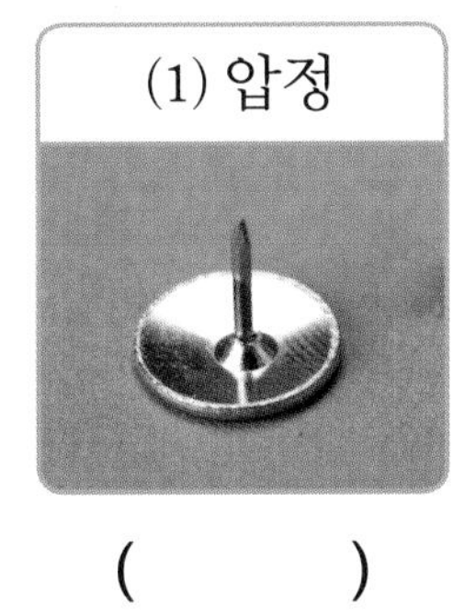

(　　　)

(2) 갈고리

(　　　)

(3) 용수철

(　　　)

힌트
사진을 보고 날카롭게 휘어진 모양을 찾아보아요.

4 요약

이 글의 중요한 내용을 정리하여 빈칸에 알맞은 말을 각각 쓰세요.

새의 부리는 ❶ [　　] 에 따라 다양한 모습을 하고 있다.

수면을 찔러 물고기를 잡아먹는 새는 부리가 ❷ [　] 로 휘었다.	딱딱한 ❸ [　　] 을 먹는 새는 부리가 짧고 단단하다.	육식을 하는 새는 부리가 매우 튼튼하고 날카롭게 휘어졌다.

▶정답 및 해설 21쪽

1

다음 문장에서 밑줄 그은 낱말과 뜻이 반대인 말을 찾아 각각 선으로 이으세요.

(1) 새의 부리가 위로 휘었어! •　　　• ① 길고

(2) 얕은 물에서 먹이를 찾는다. •　　　• ② 깊은

(3) 짧고 단단한 부리를 가졌다. •　　　• ③ 아래

2

「새의 부리」의 내용을 원인과 결과가 나타난 문장으로 정리하려고 합니다. 다음 설명을 잘 읽고 문장에 알맞은 낱말을 골라 ◯표를 하세요.

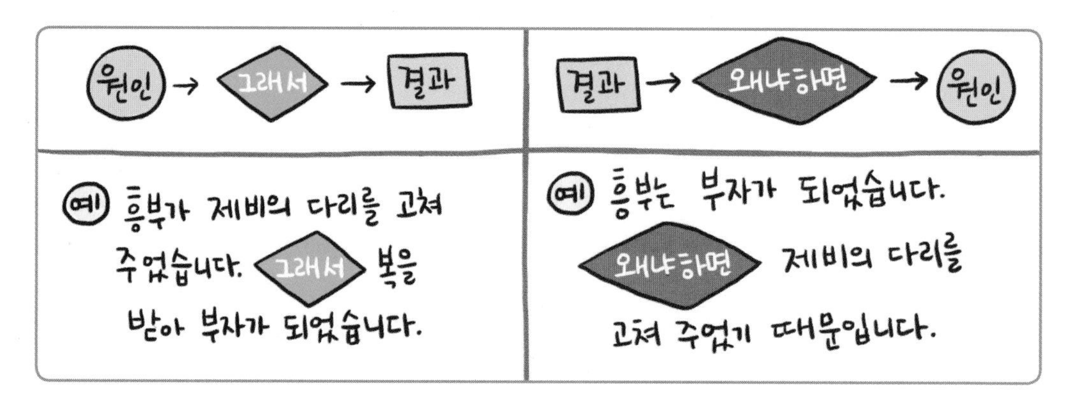

뒷부리장다리물떼새는 부리가 위로 휘었다. (그래서 , 왜냐하면) 물의 바닥에 부리가 부딪혀도 부러질 염려가 없다.

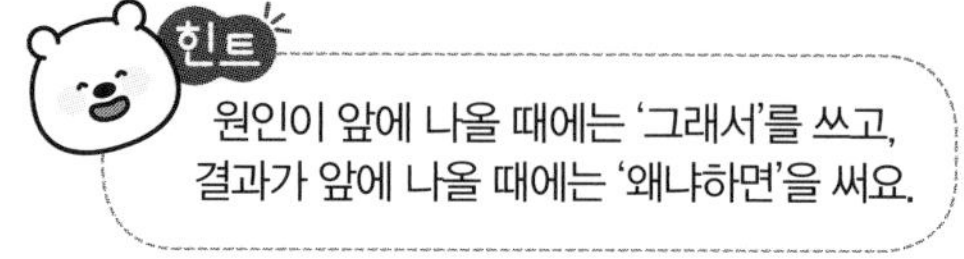

재미있는 독해 게임으로 독해력 쑥쑥

▶정답 및 해설 21쪽

● 「새의 부리」의 내용을 생각하며 새의 부리에 어울리는 먹이를 따라 길을 찾아보세요.

「새의 부리」의 내용을 바탕으로 **새의 부리와 먹이의 관계**를 알아보고 길 찾기 게임을 해 봅니다.

3주 3일

동시 (문학)

꽃밭에서

공부한 날 월 일

시에 나타난 인물의 마음을 생각하며 읽자!

「꽃밭에서」에 나타난 인물의 마음을 생각하며 시를 읽어 보세요.
시에 나타난 인물의 상황을 먼저 살펴본 뒤에
그 상황에서 인물의 마음이 어떠할지 생각해 보면 된답니다.

똑똑한

하루 독해 미리 보기

▶정답 및 해설 22쪽

● 오늘 공부할 글의 사진을 미리 보고, 빈칸에 알맞은 낱말을 각각 찾아 쓰세요.

꽃밭　　　벌판　　　한창

아빠하고 나하고 만든 ❶ ______ 에 채송화가 ❷ ______ 이네요. 저 꽃을 보고 누구를 떠올렸나요?

↳꽃을 심어 가꾼 밭.

↳어떤 일이 가장 활기 있고 왕성하게 일어나는 때. 또는 어떤 상태가 가장 무르익은 때.

아빠하고 무엇을 만들었다고?

동시 「꽃밭에서」 듣기

꽃밭에서

어효선

스스로 독해

꽃밭에서 '나'의 마음은 어떠하였을까요? 점선 부분을 따라 선을 그으며 읽고 그때 인물의 마음을 생각해 보아요.

아빠하고 나하고 만든 꽃밭에
채송화도 봉숭아도 한창입니다.
아빠가 매어 놓은 새끼줄 따라
나팔꽃도 어울리게 피었습니다.

애들㉠하고 재밌게 뛰어놀다가
아빠 생각나서 꽃을 봅니다.
아빠는 꽃 보며 살자 그랬죠
날 보고 꽃같이 살자 그랬죠.

어휘 풀이

- **꽃밭** 꽃을 심어 가꾼 밭. ㉔ 아침마다 꽃밭에 물을 주었다.
- **한창** 어떤 일이 가장 활기 있고 왕성하게 일어나는 때. 또는 어떤 상태가 가장 무르익은 때. ㉔ 봄이 되자 공원에 개나리가 한창이다.
- **새끼줄** 짚으로 꼬아 만든 줄. ㉔ 짚신을 만들려고 새끼줄을 꼬았다.

▲ 새끼줄

▶ 정답 및 해설 22쪽

1 이해

꽃밭에 어떤 꽃이 피었는지 모두 고르세요. (　　　　　　)

① 장미꽃　② 나팔꽃　③ 봉숭아
④ 채송화　⑤ 코스모스

2 어휘

㉠과 바꾸어 쓸 수 있는 말은 무엇인가요? (　　　　)

① 가　② 과　③ 는
④ 와　⑤ 의

힌트
'하고'는 무엇을 함께 함을 나타내는 말이에요.
'하고' 대신에 들어갔을 때 자연스러운 말을 찾아보아요.

3주 3일

서술형

3 이해

아빠가 '나'에게 어떻게 살자고 말하였는지 찾아 쓰세요.

- 꽃 보며 살자고 하였다.
- ________________ 살자고 하였다.

스스로 독해 해결!

4 요약

이 시의 내용을 정리하여 빈칸에 알맞은 말을 각각 쓰세요.

'내'가 한 일	아빠하고 만든 ❶ 　　　　 에 꽃이 피었는데, 애들하고 뛰어놀다가도 아빠 ❷ 　　　　 이 나면 그 꽃을 본다.

↓

'나'의 마음	꽃밭을 함께 만들었던 ❸ 　　　　 에 대한 그리움과 사랑

▶정답 및 해설 22쪽

1 「꽃밭에서」에 나오는 낱말의 관계를 생각하며 빈칸에 들어갈 말을 보기 에서 각각 찾아 쓰세요.

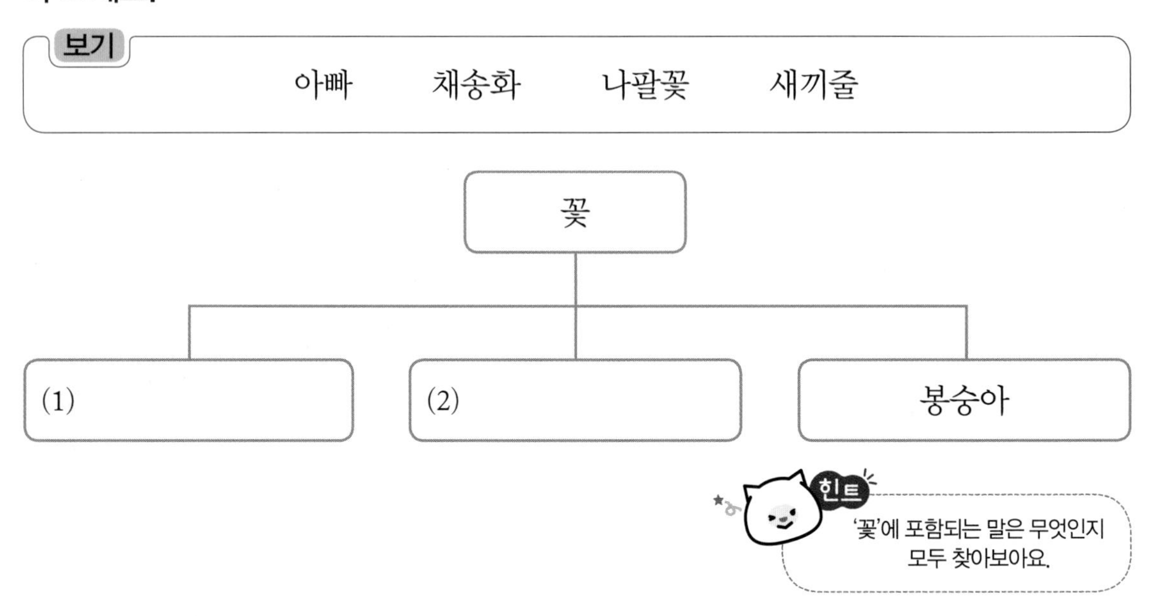

2 다음 낱말의 뜻을 잘 읽고 「꽃밭에서」의 내용에 알맞은 낱말을 찾아 ○표를 하세요.

매어	메어
끈이나 줄 따위로 어떤 물체를 가로 걸거나 드리워.	어깨에 걸치거나 올려놓아.
예 빨랫줄을 매어 놓았다.	예 가방을 메어 보았다.

아빠가 (매어 , 메어) 놓은 새끼줄 따라 나팔꽃도 어울리게 피었다.

▶정답 및 해설 22쪽

◉ 「꽃밭에서」를 읽고 궁금한 점이 생겨서 자료를 찾아보았습니다. 다음 자료를 보고 자료의 내용을 정리한 문장에 알맞은 말을 골라 각각 ◯표를 하세요.

나팔꽃은 줄기가 버팀목을 (1) (감아 , 피해) 올라가는 덩굴 식물이기 때문에 새끼줄과 같은 버팀목이 (2) (없어야 , 있어야) 잘 자랄 수 있다.

「꽃밭에서」의 내용을 떠올려 보고 **나팔꽃과 같은 덩굴 식물**에 대하여 알아봅니다.

3주 4일

역사 (비문학)

알에서 태어난 사람이 있을까?

공부한 날 월 일

알고 싶은 내용이 담긴 글을 찾아 읽어 봐!

알 속에서 정말 사람이 나올 수 있는지 궁금하다면
「알에서 태어난 사람이 있을까?」를 읽어 보세요.
제목, 그림 등을 통하여 알고 싶은 내용이 담긴 부분을 찾은 뒤,
그 부분을 자세히 읽으며 알고 싶은 내용을 찾아보면 된답니다.

▶정답 및 해설 23쪽

● 오늘 공부할 글과 그림을 미리 보고, 알맞은 낱말을 각각 찾아 표시하세요.

하늘을 나는 새 또한 하늘과 땅을 연결해 주는 신성한 존재라고 여겼지. 그래서 보통 사람들과 달리 마치 새처럼 알에서 태어났다고 꾸며서 왕이 특별한 인물이라는 것을 강조했던 것이야.

1 '함부로 가까이할 수 없을 만큼 고결하고 거룩한.'이라는 뜻의 낱말을 찾아 ○표를 하세요.

2 '보통과 구별되게 다른.'이라는 뜻의 낱말을 찾아 △표를 하세요.

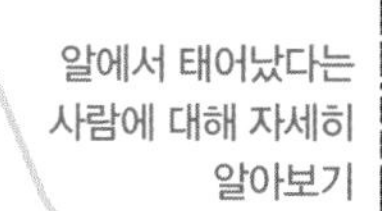

알에서 태어난 사람이 있을까?

스스로 독해
정말 알에서 사람이 태어난 것인지 알아보고 싶나요? 점선 부분을 따라 선을 그으며 읽어 보면 알 수 있어요.

고구려를 세운 고주몽, 신라를 세운 박혁거세, 가야의 김수로는 모두 알에서 태어났다고 해. 이 말이 정말이냐고? 에이, 물론 아니지. 그런데 왜 굳이 알에서 태어났다고 하는 것일까?

그것은 나라가 처음 세워질 때의 상황과 깊은 관련이 있어. 나라를 처음 세우려면 땅이 있어야 해. 하지만 좋은 땅은 이미 그곳에 터를 잡고 살아온 사람들이 차지하고 있었어. 그래서 나라를 세우려면 그들과 힘을 합치거나 그들을 굴복시켜야만 했지.

옛날 사람들은 하늘을 섬기거나 두려워하는 경우가 많았어. 그리고 하늘을 나는 새 또한 하늘과 땅을 연결해 주는 신성한 존재라고 여겼지. 그래서 보통 사람들과 달리 (㉠) 새처럼 알에서 태어났다고 꾸며서 왕이 특별한 인물이라는 것을 강조했던 것이야.

어휘 풀이

- **차지** 사물이나 공간, 지위 따위를 자기 몫으로 가짐. 또는 그 사물이나 공간.
  예 남은 음식은 모두 내 차지이다.
- **굴복**|굽을 굴 屈, 입을 복 服| 힘이 모자라서 복종함. 예 억지로 강요하는 일에 굴복하고 싶지 않다.
- **신성**|귀신 신 神, 성인 성 聖|**한** 함부로 가까이할 수 없을 만큼 고결하고 거룩한.
  예 마을 사람들은 마을에서 가장 오래된 고목나무를 신성한 존재로 여겼다.
- **특별**|뛰어날 특 特, 다를 별 別|**한** 보통과 구별되게 다른.
  예 왕은 신하들로부터 특별한 대우를 받았다.

▶정답 및 해설 23쪽

1 이해

다음 나라를 세운 왕은 누구인지 각각 찾아 이름을 쓰세요.

(1) 고구려: (   )

(2) 신라: (   )

(3) 가야: (   )

서술형

2 이해

옛날 사람들은 하늘을 나는 새에 대하여 어떻게 생각하였는지 쓰세요.

하늘과 땅을 ______________________________

라고 여겼다.

3 문법

㉠ 안에 들어가기에 알맞은 말은 무엇인가요? (   )

① 마치　② 비록　③ 결코
④ 만약　⑤ 왜냐하면

힌트
뒤에 오는 '~처럼'과 어울려 쓸 수 있는 말을 찾아보아요.

스스로 독해 해결!

4 요약

이 글의 내용을 정리하여 빈칸에 알맞은 말을 각각 쓰세요.

전해 내려오는 이야기	고구려, 신라, 가야를 세운 왕이 ❶ 　　　 에서 태어났다고 전해짐.

↓

숨은 뜻	❷ 　　　 이 특별한 인물이라는 것을 강조하기 위해 꾸민 것일 뿐, 실제로 일어난 일은 아님.

▶정답 및 해설 23쪽

1

다음 문장의 밑줄 그은 낱말과 뜻이 비슷한 말을 보기 에서 각각 찾아 쓰세요.

보기

연관 임금 사실 전부

(1) 고주몽, 박혁거세, 김수로는 <u>모두</u> 알에서 태어났다고 해.

(2) 이 말이 <u>정말</u>이냐고?

(3) 나라가 처음 세워질 때의 상황과 깊은 <u>관련</u>이 있어.

(4) <u>왕</u>이 특별한 인물이라는 것을 강조했던 것이야.

2

「알에서 태어난 사람이 있을까?」에 나오는 낱말의 관계를 생각하며 다음 빈칸에 들어갈 말을 보기 에서 찾아 쓰세요.

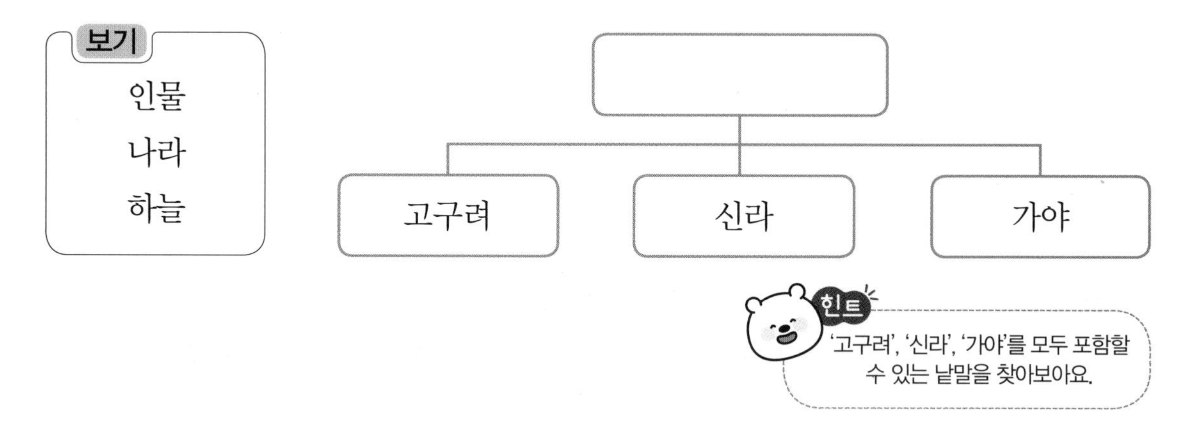

재미있는 독해 게임으로 독해력 쑥쑥

▶정답 및 해설 23쪽

「알에서 태어난 사람이 있을까?」에 나오는 고구려, 신라, 가야의 위치는 어디였을까요? 각 나라를 세운 왕들을 살펴보고 빈칸에 나라의 이름을 각각 쓰세요.

「알에서 태어난 사람이 있을까?」의 내용을 떠올리며 **5세기경의 고구려, 신라, 가야의 위치**를 알아봅니다.

3주 5일

생활 속 독해

일기 예보

공부한 날 월 일

필요한 정보가 무엇인지 생각하며 읽어 보자!

필요한 정보가 무엇인지 생각하며 「일기 예보」를 읽어 보세요.
일기 예보는 날씨와 관련된 정보를 전하고 있어요.
오늘의 날씨가 어떨지 알아야 한다면,
오늘의 날씨와 관련된 정보를 꼼꼼히 읽으면 된답니다.

▶정답 및 해설 24쪽

오늘 공부할 글과 사진을 미리 보고, 알맞은 낱말을 각각 찾아 표시하세요.

오늘 아침에는 빗방울이 조금씩 떨어지다가 정오부터 폭우가 내릴 예정입니다.

1 '낮 열두 시.'라는 뜻의 낱말을 찾아 ○표를 하세요.

2 '갑자기 세차게 쏟아지는 비.'라는 뜻의 낱말을 찾아 △표를 하세요.

오늘의 날씨는 어떨까?

일기 예보에 대해 자세히 알아보기

일기 예보

스스로 독해

오늘의 날씨와 관련된 중요한 내용은 무엇일까요? 점선 부분을 따라 선을 그으며 읽어 보고 중요한 내용을 정리해 보아요.

오늘의 일기 예보입니다. 오늘은 비 소식이 있습니다. 오늘 아침에는 빗방울이 조금씩 떨어지다가 정오부터 폭우가 내릴 예정입니다. 천둥, 번개와 함께 바람도 강하게 불어오겠습니다. 자정까지 강한 비와 바람으로 인하여 온도가 매우 낮겠습니다. 가능한 한 외출은 피하시고, 외출하실 때에는 우산이나 비옷을 꼭 챙기시는 것이 좋겠습니다.

내일 오전에는 다시 맑은 하늘을 회복하여 전국적으로 화창한 날씨가 오후까지 이어지겠습니다. 낮 기온은 오늘보다 높아 포근한 날씨가 예상됩니다. 한낮에는 햇빛이 강할 수 있으니 바깥에서 활동을 하실 때에는 (㉠) 을/를 준비해 주시는 것이 좋겠습니다.

어휘 풀이

- **일기 예보** | 날 일 日, 공기 기 氣, 미리 예 豫, 알릴 보 報 | 날씨의 변화를 예측하여 미리 알리는 일.
  � 주말의 날씨가 궁금해서 일기 예보를 보았다.
- **정오** | 바를 정 正, 낮 오 午 | 낮 열두 시. ㉮ 친구와 정오에 만나 점심을 먹기로 하였다.
- **폭우** | 사나울 폭 暴, 비 우 雨 | 갑자기 세차게 쏟아지는 비. ㉮ 폭우로 다리가 무너졌다.
- **자정** | 아들 자 子, 바를 정 正 | 밤 열두 시. ㉮ 자정이 되기 전에 잠을 잤다.

▶정답 및 해설 24쪽

스스로 독해 해결!

1 이해

오늘의 날씨에 대한 설명으로 알맞은 것을 모두 고르세요. (   )

① 햇빛이 강할 것이다.
② 폭우가 내릴 것이다.
③ 천둥, 번개가 칠 것이다.
④ 바람이 강하게 불어올 것이다.
⑤ 낮 기온이 높아 포근할 것이다.

서술형

2 이해

오늘의 날씨로 보아 오늘 외출할 때 주의할 점은 무엇인지 쓰세요.

가능한 한 외출은 피하고, 외출할 때에는 ______________________ ______________________ 것이 좋겠다.

3 유추

㉠ 안에 들어갈 말로 알맞은 것은 무엇일지 짐작하여 ○표를 하세요.

(1) 양산	(2) 목도리	(3) 장화
		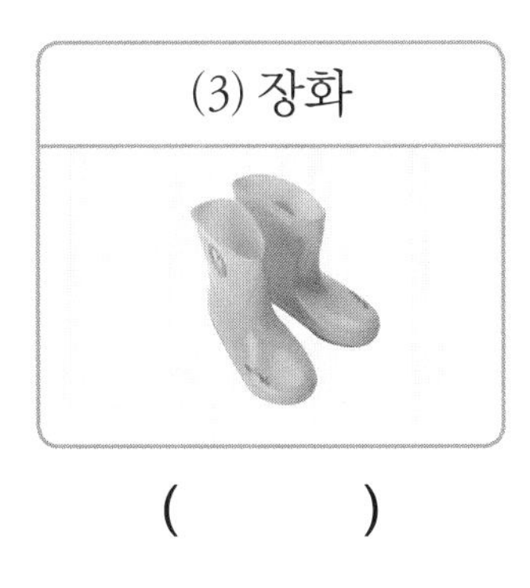
( )	( )	( )

힌트
날씨와 어울리는 물건을 찾아야 해요.
햇빛이 강할 때 필요한 것은 무엇인지 찾아보아요.

4 요약

이 글의 내용을 정리하여 빈칸에 알맞은 말을 각각 쓰세요.

오늘의 날씨	폭우가 내리며 천둥, 번개와 함께 강한 ❶ ☐☐ 이 불어올 것임.
내일의 날씨	화창하고 포근한 날씨로, 한낮에는 ❷ ☐☐ 이 강할 것임.

▶ 정답 및 해설 24쪽

1

보기 를 참고하여 「일기 예보」의 내용에 알맞은 낱말을 골라 각각 ○표를 하세요.

보기

(1) 오늘은 강한 비와 바람으로 인하여 온도가 매우 (낮다 , 작다).

(2) 내일 낮 기온은 오늘보다 (크다 , 높다).

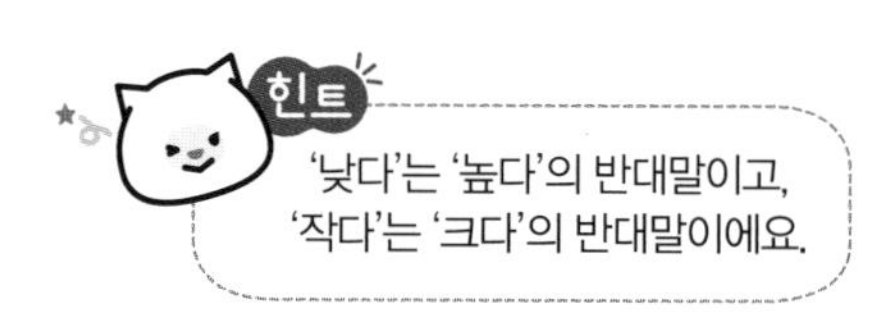

2

다음 설명을 잘 읽고 빈칸에 '오전'과 '오후' 중 알맞은 말을 각각 골라 쓰세요.

오전 밤 열두 시부터 낮 열두 시까지의 시간.

오후 낮 열두 시부터 밤 열두 시까지의 시간.

(1) ☐☐ 여덟 시 삼십 분에 아침을 먹었다.

(2) ☐☐ 여섯 시가 되어 갈 무렵에 해가 졌다.

재미있는 독해 게임으로 독해력 쑥쑥

▶정답 및 해설 24쪽

◉ 「일기 예보」를 읽고 날씨를 나타내는 기호를 알아보려고 합니다. 보기 를 참고하여 맑은 날씨를 나타내는 기호가 있는 칸을 모두 찾아 색칠하세요.

보기

비	맑음	눈	흐림	천둥, 번개

「일기 예보」의 내용을 떠올리며 **날씨를 나타내는 기호**를 구분해 봅니다.

3주 누구나 100점 테스트

[1~3] 다음 글을 읽고, 물음에 답하세요.

지난 주말, 나는 가족들과 함께 인천에 있는 차이나타운을 다녀왔다. 평소 중국 문화에 관심이 많았던 아버지께서 추천해 주신 여행 장소였기 때문이다. 차이나타운은 외국에서 사는 중국 사람들이 세운 중국식 거리이다. 인천에는 ㉠종종 다녀왔지만 차이나타운은 처음이라 설레었다.

가장 먼저 들른 곳은 한중 문화관이었다. ㉡전시관에는 중국의 역사, 문화, 생활상을 엿볼 수 있는 그림이나 유물 등이 전시되어 있었다. 그중에서도 중국의 소수 민족 인형들을 자세히 보았다. 아름답고 특색 있는 모습이 인상 깊게 느껴졌다.

1 이 글에 대해 알맞게 말한 친구의 이름을 쓰세요.

수지: 중국을 소개한 책을 읽고 느낀 점을 쓴 글이야.
준혁: 인천에 있는 차이나타운을 여행한 경험에 대해 쓴 글이야.

( )

2 ㉠과 바꾸어 쓸 수 있는 말로 알맞은 것에 ○표를 하세요.

(가끔, 평소)

3 ㉡은 다음 중 어느 것에 해당하는지 골라 ○표를 하세요.

(1) 본 것 ( )
(2) 들은 것 ( )
(3) 생각하거나 느낀 것 ( )

[4~5] 다음 글을 읽고, 물음에 답하세요.

새의 부리는 먹이에 따라 다양한 모습을 하고 있어. '뒷부리장다리물떼새'는 얕은 물에서 먹이를 찾는데, 수면을 찔러 물고기를 잡아먹어. 부리가 위로 휘었기 때문에 물의 바닥에 부리가 부딪혀도 부러질 염려가 없지. 반면 딱딱한 곡식을 먹는 새는 짧고 단단한 부리를 가졌고, 육식을 하는 새는 부리가 이빨을 대신하기 때문에 매우 튼튼하고 갈고리처럼 날카롭게 휘어진 부리를 가졌어.

4 이 글은 새의 무엇에 대해 설명하는 글인가요? ( )

① 눈 ② 알 ③ 날개
④ 부리 ⑤ 다리

5 다음 새가 먹을 먹이를 보기 에서 골라 알맞게 쓰세요.

보기
물고기
딱딱한 곡식
땅에 사는 동물

( )

[6~7] 다음 시를 읽고, 물음에 답하세요.

아빠하고 나하고 만든 꽃밭에
채송화도 봉숭아도 한창입니다.
아빠가 매어 놓은 새끼줄 따라
나팔꽃도 어울리게 피었습니다.

애들하고 재밌게 뛰어놀다가
아빠 생각나서 꽃을 봅니다.
아빠는 꽃 보며 살자 그랬죠
날 보고 꽃같이 살자 그랬죠.

6 '나'는 아빠와 무엇을 만들었는지 보기 에서 골라 쓰세요.

보기

꽃병 꽃밭 꽃다발

( )

7 '나'의 마음을 알맞게 이야기한 친구에 ○표를 하세요.

( ) ( )

[8~9] 다음 글을 읽고, 물음에 답하세요.

옛날 사람들은 하늘을 섬기거나 두려워하는 경우가 많았어. 그리고 하늘을 나는 새 또한 하늘과 땅을 연결해 주는 ㉠신성한 존재라고 여겼지. 그래서 보통 사람들과 달리 마치 새처럼 알에서 태어났다고 꾸며서 왕이 ㉡특별한 인물이라는 것을 강조했던 것이야.

8 이 글을 통해 알 수 있는 내용은 무엇인지 알맞은 말에 ○표를 하세요.

- 실제로 사람이 알에서 태어나는 일은 일어난 적이 (있다, 없다).

9 ㉠과 ㉡의 뜻을 알맞게 선으로 이으세요.

(1) ㉠ • • ① 보통과 구별되게 다른.

(2) ㉡ • • ② 함부로 가까이 할 수 없을 만큼 고결하고 거룩한.

10 다음 글을 읽고 오늘 낮에 외출할 때에 준비할 것 두 가지를 고르세요. ( )

오늘 아침에는 빗방울이 조금씩 떨어지다가 정오부터 폭우가 내릴 예정입니다.

① 부채 ② 우산 ③ 잠옷
④ 비옷 ⑤ 선크림

창의

1 다음 만화를 읽고, 3주차에서 배운 낱말을 떠올려 어휘 퀴즈에 알맞은 낱말을 빈칸에 각각 쓰세요.

▶정답 및 해설 25쪽

어휘 퀴즈

❶ '보통과 구별되게 다름.'을 뜻하는 말은? →

❷ '갑자기 세차게 쏟아지는 비.'를 뜻하는 말은? →

❸ '저녁에 늦게 들어오지 않을 테니 아무 ○○ 마세요.'의 빈칸에 들어갈 알맞은 말은?

→

3주 특강

코딩

2 희재는 「차이나타운에 다녀와서」를 읽고 차이나타운으로 여행을 떠났어요. 짜장면을 먹기 위해 음식점까지 가려면 어떤 코딩 명령을 따라가야 할지 골라 ○표를 하세요.

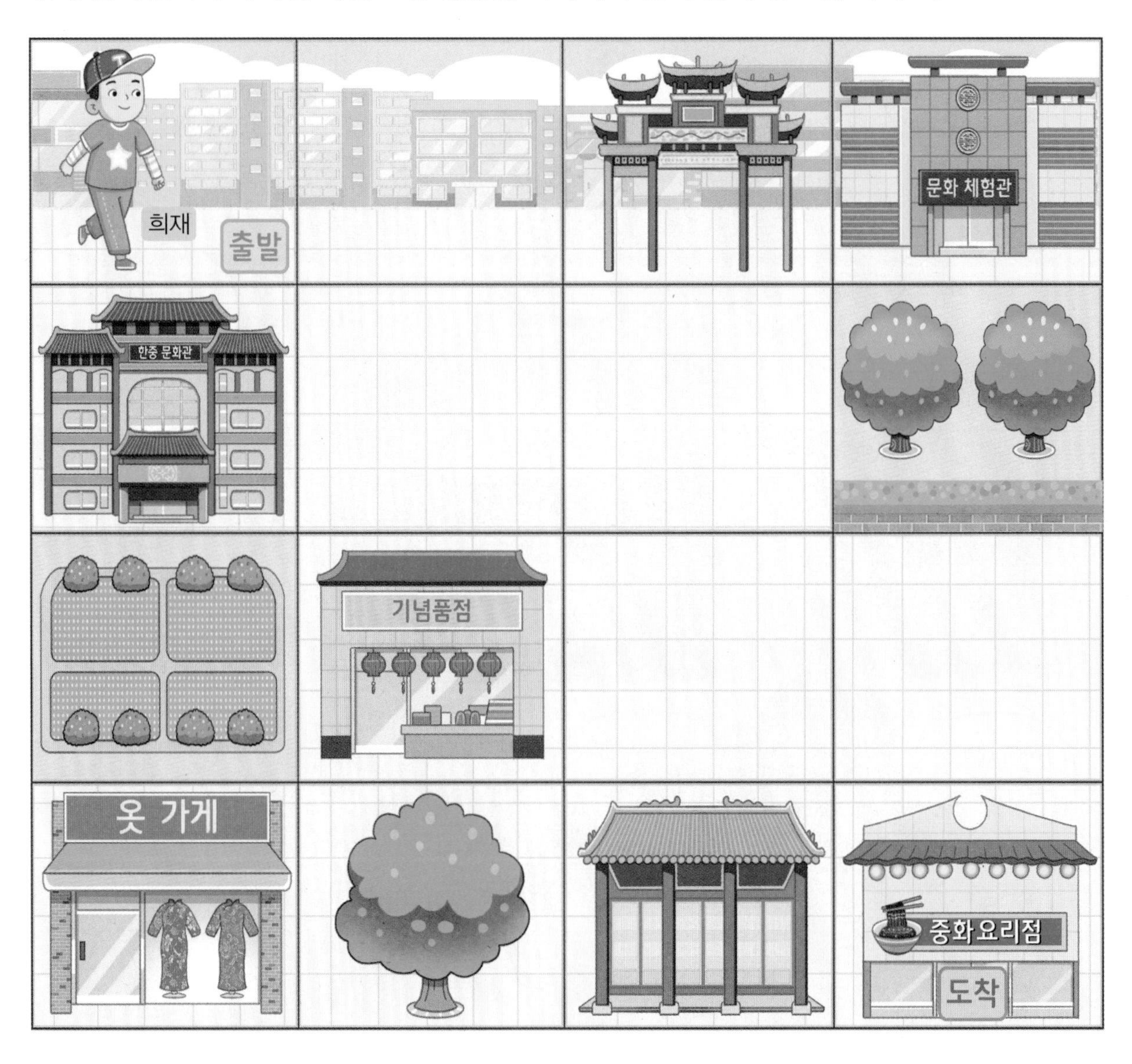

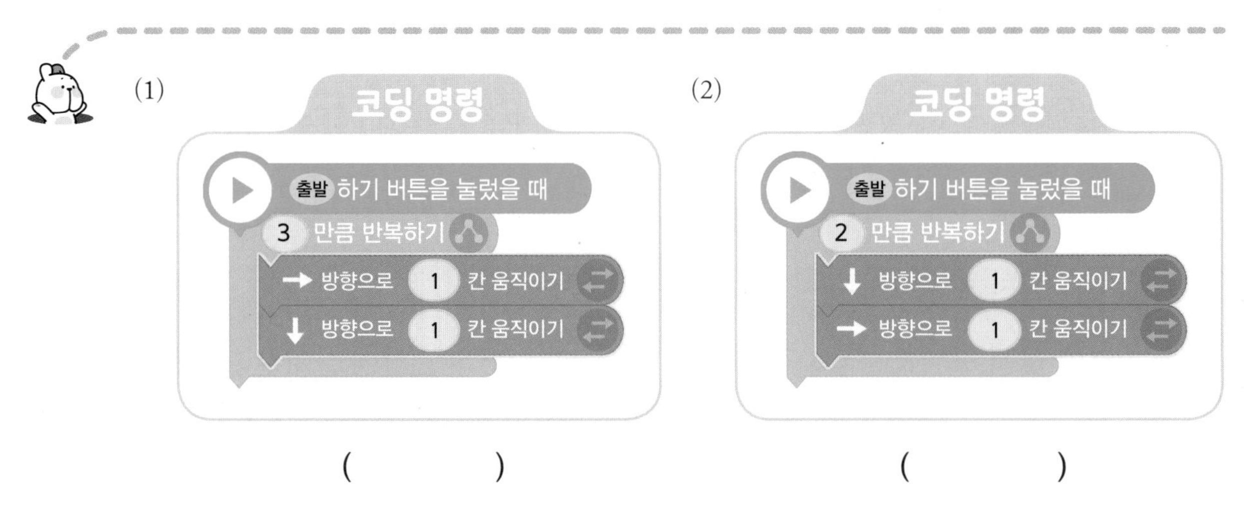

( ) ( )

▶ 정답 및 해설 25쪽

융합

3 다음 일기 예보를 읽고 낮 기온이 가장 높을 때에 외출을 하려고 해요. 다음 기온별 옷차림을 참고하여 알맞게 옷을 입은 친구를 골라 ○표를 하세요.

오늘 아침에는 전국적으로 구름이 많고 어제보다 2~4도 오르겠지만 여전히 쌀쌀하겠습니다. 그러나 낮에는 대체로 맑겠고 낮 최고 기온은 13~15도가 예상됩니다.

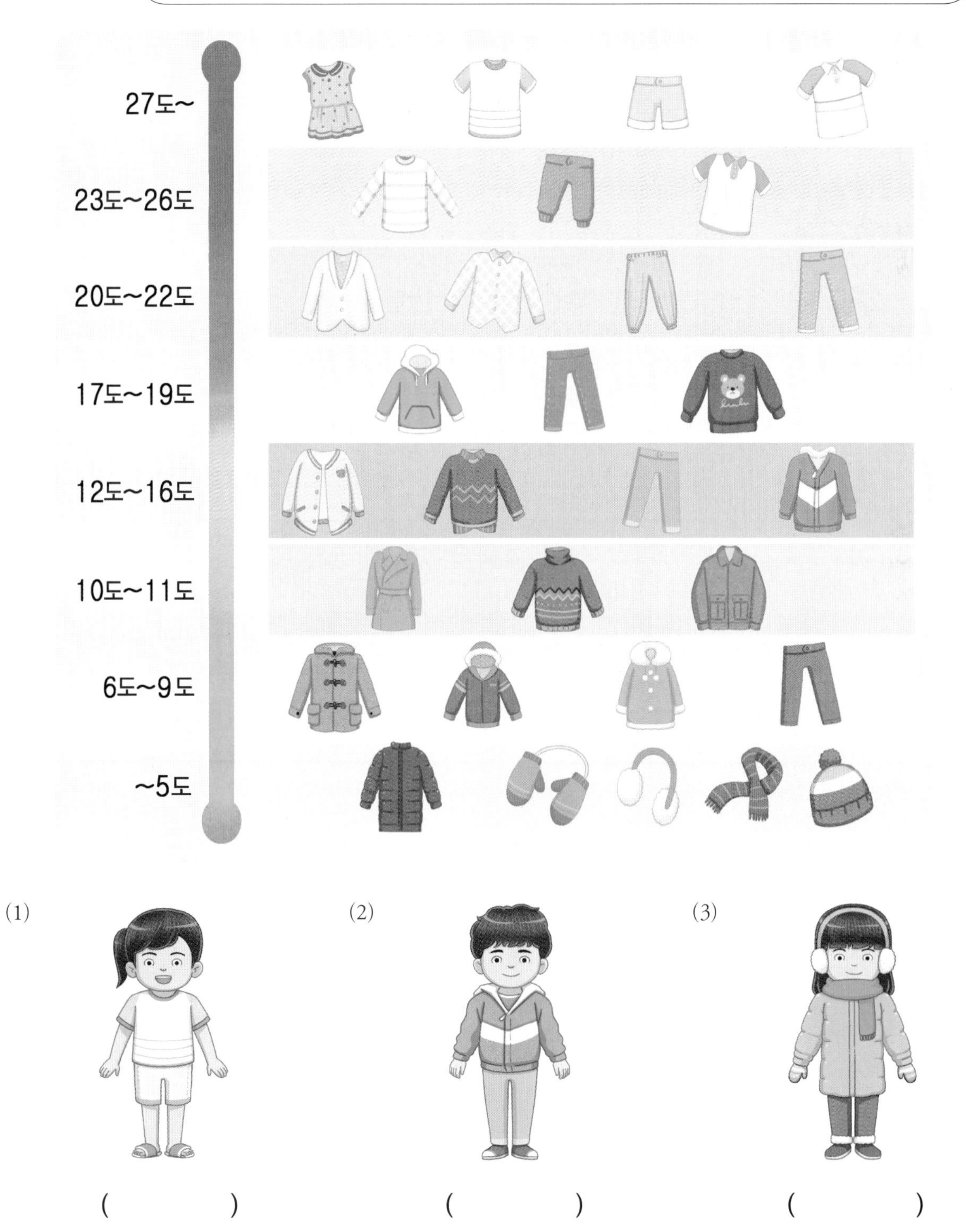

(1) ( )

(2) ( )

(3) ( )

창의

4 도서 대출 안내를 보고 알맞은 낱말에 각각 ○표를 하세요.

생활 어휘

도서 대출 안내

대출 권수	1인 5권
대출 기간	1인 15일

- 대출 시 본인의 회원증을 반드시 제시해야 합니다.
- 회원증은 1층 접수처에서 당일 발급됩니다.

○○ 어린이 도서관

얘들아, 이 글은 어린이 도서관에서 책을 (1) (살 , 빌릴) 수 있는 방법을 알려 주고 있어. 한 명이 다섯 권을 십오 일 동안 대출할 수 있는데, 회원증이 꼭 있어야 된다고 해. 회원증은 (2) (그날 , 그다음 날)에 1층 접수처에서 (3) (만들 , 빌릴) 수 있어.

어휘 풀이

- **대출** | 빌릴 대 貸, 날 출 出 | 돈이나 물건 따위를 빌려주거나 빌림. ㉠ 학교 도서관에서 책을 대출하였다.
- **접수처** | 접할 접 接, 받을 수 受, 곳 처 處 | 처리할 문서 따위를 받는 일을 맡아보는 곳.
  ㉠ 그림 그리기 대회 참가 신청서를 내기 위하여 접수처로 갔다.
- **당일** | 마땅할 당 當, 날 일 日 | 일이 있는 바로 그날.
  ㉠ 졸업식 당일에는 교통이 복잡할 수 있으니 좀 더 일찍 출발해야 한다.
- **발급** | 필 발 發, 줄 급 給 | 증명서 따위를 만들어 줌. ㉠ 학생증 발급을 신청하였다.

▶정답 및 해설 25쪽

창의

5 衣(옷 의) 자에 대해 알아보고, 나음 물음에 답하세요.

생활 한자

衣 자는 옷깃, 양쪽 소매, 밑자락을 그린 것으로, '옷'이라는 뜻을 표현한 글자예요.

(1) 衣 자가 들어간 낱말을 알아보고, 한자의 음을 쓰세요.

① 봄이 와서 겨울용 上衣를 정리하였다.

상 ☐

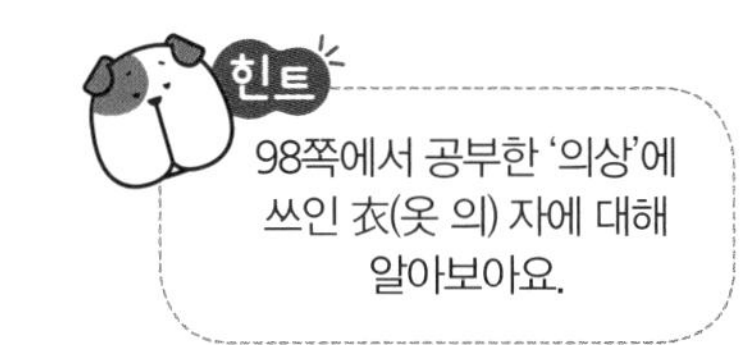

② 간호사들을 白衣의 천사라고 부른다.

백 ☐

(2) 한자 성어의 뜻을 알아보고, 빈칸에 알맞은 한자를 쓰세요.

好衣好食

좋을 호 옷 의 좋을 호 먹을 식

좋은 옷을 입고 좋은 음식을 먹음.

• 오늘은 내 생일이라서 好 ☐ 好 食 (호의호식)을 누렸다.

4주

4주에는 무엇을 공부할까? ①

- 1일 크리스마스 선물
- 2일 플라스틱 빨대의 사용을 줄이자
- 3일 올빼미의 눈
- 4일 조상의 슬기가 담긴 한옥
- 5일 지하철 유실물 신고 안내

4주 4주에는 무엇을 공부할까? ❷

1-1 다음 문장에 들어갈 바른 낱말을 골라 ◯표를 하세요.

델리는 (금새 , 금세) 짧은 머리의 개구쟁이 소년 같은 모습이 되었습니다.

1-2 다음 일기에서 밑줄 그은 낱말을 바르게 고쳐 쓰세요.

	아	침	부	터		내	리	던		눈
이		금	새		온		마	을	을	
뒤	덮	었	다	.						

금 새 ➡ ☐☐

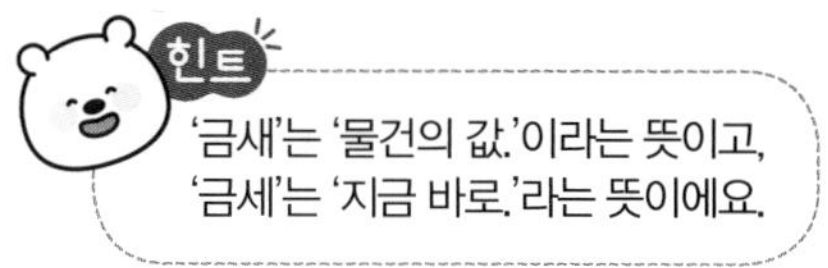

▶정답 및 해설 26쪽

2-1 밑줄 그은 '부상'의 뜻으로 알맞은 것에 ○표를 하세요.

버려진 플라스틱 빨대가 바다로 흘러가면 떠다니다가 바다 생물의 몸에 꽂혀 바다 생물에게 큰 부상을 입힐 수 있다.

(1) 몸에 상처를 입음. ( )

(2) 힘으로 으르고 협박함. ( )

2-2 신문 기사에서 빈칸에 공통으로 들어갈 낱말을 보기 에서 골라 쓰세요.

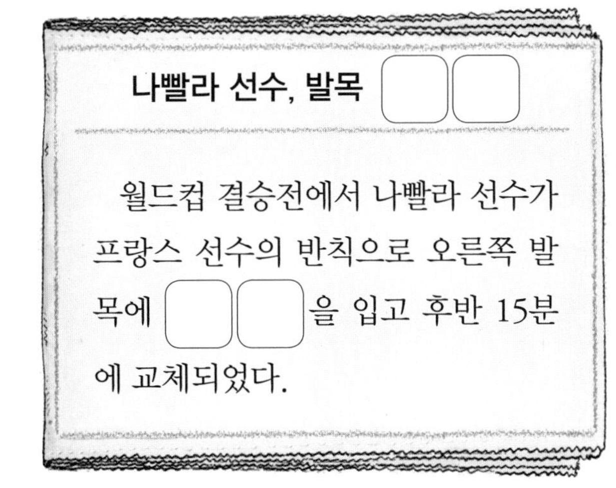

나빨라 선수, 발목 □□

월드컵 결승전에서 나빨라 선수가 프랑스 선수의 반칙으로 오른쪽 발목에 □□을 입고 후반 15분에 교체되었다.

보기

선물 부상 위협

□□

힌트 '부상'은 '다치다'라는 말과 바꾸어 쓸 수 있어요.

4주 1일

이야기 (문학)

크리스마스 선물

공부한 날 월 일

장소 변화에 따른 이야기의 흐름을 살펴보자!

「크리스마스 선물」을 읽고 장소 변화에 따른 이야기의 흐름을 살펴보세요. 장소를 나타내는 말을 찾아보고, 그 장소에서 인물이 어떤 일을 했는지 정리하면 이야기의 흐름을 좀 더 잘 이해할 수 있어요.

▶정답 및 해설 26쪽

● 오늘 공부할 글의 그림을 미리 보고, 빈칸에 알맞은 낱말을 각각 찾아 쓰세요.

겹　　값　　선물　　상점

델라는 남편에게 줄 크리스마스 ❶ ______을 사고 싶었지만 돈이 1달러 87센트밖에 없었어요. 이 돈으로는 ❷ ______이 비싼 물건은 살 수 없었지요. 그래서 자신의 자랑거리였던 긴 머리털을 잘라 팔기로 결심했어요.

↪남에게 어떤 물건 따위를 선사함. 또는 그 물건.

↪사고파는 물건에 일정하게 매겨진 액수.

4주 1일

「크리스마스 선물」 전체 이야기 보기

크리스마스 선물

오 헨리

스스로 독해

이 이야기에서는 어떤 장소에서 어떤 일이 일어났을까요? ◌ 속 낱말을 색칠해 보고 그곳에서 일어난 일을 정리해 보아요.

주인은 익숙한 손놀림으로 델라의 머리털을 싹둑싹둑 잘라 냈습니다. 델라는 금세 짧은 머리의 개구쟁이 소년 같은 모습이 되었습니다.

미용실에서 나온 델라는 남편 짐에게 줄 선물을 사기 위해 시내의 상점을 돌아다녔습니다. 하지만 델라의 마음에 쏙 드는 물건을 찾기가 여간 어려운 일이 아니었습니다.

㉠마침내 델라는 짐에게 꼭 어울리는 선물을 찾아냈습니다. 그것은 백금으로 만든 시곗줄이었는데, 마치 짐을 위해서 만들어진 것 같았습니다.

다행히 그 시곗줄 값은 21달러였습니다.

델라는 갖고 있던 1달러와 머리털을 팔고 받은 20달러를 합쳐 짐에게 선물할 시곗줄을 샀습니다. 비록 남은 돈은 87센트이지만, 델라는 선물을 받고 기뻐할 짐의 얼굴이 떠올라 집으로 돌아가는 발걸음이 가벼웠습니다.

어휘 풀이

- **선물** |반찬 선 膳, 만물 물 物| 남에게 어떤 물건 따위를 선사함. 또는 그 물건.
  예 마음에 드는 생일 선물을 받아서 기분이 좋았다.
- **여간** |같을 여 如, 방패 간 干| 그 상태가 보통으로 보아 넘길 만한 것임을 나타내는 말.
  예 사과나무에 열린 사과가 여간 탐스럽지 않았다.
- **값** 사고파는 물건에 일정하게 매겨진 액수. 예 값이 비싼 장난감을 샀다.

▶정답 및 해설 26쪽

1 표현

머리를 짧게 자른 델라의 모습을 빗대어 표현하는 말을 찾아 빈칸에 알맞게 쓰세요.

• 짧은 머리의 개구쟁이 ______ 같은 모습이 되었다.

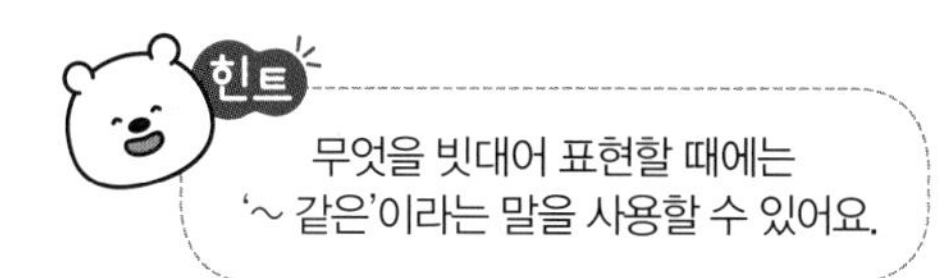

2 유추

㉠에서 델라의 기분은 어떠하였을까요? (　　　　)

① 기쁘다.　② 지겹다.　③ 부럽다.
④ 미안하다.　⑤ 원망스럽다.

서술형

3 이해

델라가 집으로 돌아가는 발걸음이 가벼웠던 까닭은 무엇인지 쓰세요.

______________________이 떠올랐기 때문이다.

스스로 독해 해결!

4 요약

이 글의 내용을 정리하여 빈칸에 알맞은 말을 각각 쓰세요.

장소	일어난 일
미용실	델라는 ❶ ______ 을 잘라 팔고 20달러를 받았다.

↓

장소	일어난 일
시내의 상점	델라는 백금으로 만든 ❷ ______ 을 산 뒤에 집으로 돌아갔다.

▶ 정답 및 해설 26쪽

1 다음은 소리가 같지만 뜻이 다른 낱말입니다. 「크리스마스 선물」의 내용에 알맞은 낱말을 각각 찾아 ◯표를 하세요.

갖다[갇따]	손이나 몸 따위에 있게 하다. 예 돈을 얼마 갖고 있니?
같다[갇따]	다른 것과 비교하여 그것과 다르지 않다. 예 피부가 백옥 같다.

(1) 머리털을 잘라 낸 델라는 짧은 머리의 개구쟁이 소년 (갖다 , 같다).

(2) 델라는 (갖고 , 같고) 있던 1달러와 머리털을 팔고 받은 20달러를 합쳐 짐에게 선물할 시곗줄을 샀다.

2 「크리스마스 선물」에 나온 다음 낱말과 뜻이 반대인 말을 보기 에서 각각 찾아 쓰세요.

보기
소녀 팔다 남자 웃다

(1) 소년 ↔ ☐☐

(2) 사다 ↔ ☐☐

힌트
그림에서 화살표가 가리키는 부분을 잘 살펴보며 뜻이 반대인 말을 찾아보아요.

▶정답 및 해설 26쪽

「크리스마스 선물」에서 델라는 21달러를 주고 시곗줄을 샀어요. '달러'는 어느 나라의 돈일까요? 다음 그림을 잘 보고 알맞은 말을 골라 ◯표를 하세요.

 달러는 (일본 , 중국 , 미국)에서 사용하는 돈의 단위이다.

「크리스마스 선물」의 내용을 떠올리며 **세계 여러 나라에서 사용하는 돈의 단위**에 대해 알아봅니다.

4주 2일

사회 (비문학)

플라스틱 빨대의 사용을 줄이자

공부한 날 월 일

글쓴이의 의견을 찾아라!

「플라스틱 빨대의 사용을 줄이자」를 읽고 글쓴이의 의견을 찾아보세요.
글쓴이의 의견을 찾을 때에는 문단의 중심 문장을 정리해 보고,
제목을 그렇게 지은 까닭과 글을 쓴 목적이 무엇인지 짐작해 보면 된답니다.

▶정답 및 해설 27쪽

오늘 공부할 글과 사진을 미리 보고, 알맞은 낱말을 각각 찾아 표시하세요.

플라스틱 빨대는 여러 생물에게 피해를 준다. 버려진 플라스틱 빨대가 바다로 흘러가면 떠다니다가 바다 생물의 몸에 꽂혀 바다 생물에게 큰 부상을 입힐 수 있다.

1 '생명이나 신체, 재산, 명예 따위에 손해를 입음. 또는 그 손해.'라는 뜻의 낱말을 찾아 ○표를 하세요.

2 '몸에 상처를 입음.'이라는 뜻의 낱말을 찾아 △표를 하세요.

플라스틱에 대해 자세히 알아보기

플라스틱 빨대의 사용을 줄이자

스스로 독해

이 글에 나타난 의견과 까닭은 무엇일까요? 점선 부분을 따라 선을 그으며 읽어 보고 의견과 까닭을 구분해 보아요.

플라스틱 빨대의 사용이 점점 늘어나면서 전 세계적으로 문제가 되고 있다. 우리는 플라스틱 빨대의 사용을 줄여야 한다. 왜 플라스틱 빨대의 사용을 줄여야 할까?

(㉠), 플라스틱 빨대는 재활용하기가 힘들어 자원이 낭비된다. 플라스틱 빨대는 입구가 좁아 씻기가 힘들다. 그리고 작고 얇아 다른 플라스틱 제품에 비해 재활용의 가치가 적다. 그러다 보니 한 번 쓴 플라스틱 빨대는 버려지고, 새 플라스틱 빨대를 만드는 데 많은 자원이 사용된다.

(㉡), 플라스틱 빨대는 여러 생물에게 피해를 준다. 버려진 플라스틱 빨대가 바다로 흘러가면 떠다니다가 바다 생물의 몸에 꽂혀 바다 생물에게 큰 부상을 입힐 수 있다. 또한 버려진 플라스틱 빨대의 조각을 새가 먹어 생명의 위협을 받기도 한다.

이러한 문제를 줄이기 위해 최근에는 플라스틱 빨대를 대신할 친환경 빨대를 개발하려는 노력도 나타나고 있다. 우리도 플라스틱 빨대의 사용을 줄이는 데 동참하자.

어휘 풀이

- **재활용** | 다시 재 再, 살 활 活, 쓸 용 用 | 폐품 따위를 용도를 바꾸거나 가공하여 다시 씀.
  - 예 폐지를 재활용하여 공책을 만들었다.
- **자원** | 재물 자 資, 근원 원 源 | 사람이 생활하거나 경제적인 생산을 하는 데 이용되는 원료.
  - 예 풍부한 자원을 활용하여 새로운 물건을 만들었다.
- **피해** | 입을 피 被, 해로울 해 害 | 생명이나 신체, 재산, 명예 따위에 손해를 입음. 또는 그 손해.
  - 예 비가 너무 많이 와서 집이 물에 잠기는 피해를 입었다.
- **부상** | 짐 질 부 負, 상처 상 傷 | 몸에 상처를 입음. 예 사고를 당하여 큰 부상을 입었다.

▶정답 및 해설 27쪽

1 이해

버려진 플라스틱 빨대의 문제점으로 알맞지 않은 것에 ×표를 하세요.

(1) 제대로 씻지 않은 채로 재활용된다. (　　　　)

(2) 새가 먹으면 생명의 위협을 받을 수 있다. (　　　　)

(3) 바다에서 떠다니다가 바다 생물의 몸에 꽂힐 수 있다. (　　　　)

서술형

2 이해

플라스틱 빨대로 인한 문제를 줄이기 위해 어떤 노력이 나타나고 있는지 쓰세요.

플라스틱 빨대를 대신할 ________________

________________노력이 나타나고 있다.

3 유추

㉠ 과 ㉡ 안에 들어갈 말을 알맞게 짐작한 것은 무엇인가요? (　　　　)

	㉠	㉡		㉠	㉡
①	첫째	둘째	②	둘째	셋째
③	다음으로	먼저	④	그리고	끝으로
⑤	또한	마지막으로			

㉠과 ㉡에 들어갈 말을 차례대로 넣어 보고, 자연스러운 말을 찾아보아요.

스스로 독해 해결!

4 요약

이 글의 중요한 내용을 정리하여 빈칸에 알맞은 말을 각각 쓰세요.

의견	우리는 ❶ 　　　　 빨대의 사용을 줄여야 한다.
까닭	• 플라스틱 빨대는 ❷ 　　　　 하기가 힘들어 자원이 낭비된다. • 플라스틱 빨대는 여러 생물에게 ❸ 　　　　 를 준다.

4주 2일

▶정답 및 해설 27쪽

1 「플라스틱 빨대의 사용을 줄이자」의 다음 문장에서 밑줄 그은 낱말과 뜻이 반대인 말을 각각 찾아 선으로 이으세요.

(1) 왜 플라스틱 빨대의 사용을 줄여야 할까? •　　• ① 넓어

(2) 플라스틱 빨대는 입구가 좁아 씻기가 힘들다. •　　• ② 두꺼워

(3) 작고 얇아 다른 플라스틱 제품에 비해 재활용의 가치가 적다. •　　• ③ 늘려야

2 다음 설명을 잘 읽고 「플라스틱 빨대의 사용을 줄이자」의 내용에 맞게 빈칸에 '개발'과 '계발' 중 알맞은 말을 쓰세요.

개발	계발
새로운 물건을 만들거나 새로운 생각을 내어놓음.	슬기나 재능, 사상 따위를 일깨워 줌.
우주 비행선이 개발되었어.	내 소질을 계발해서 멋진 피아니스트가 될 거야!

• 친환경 빨대를 ☐☐ 하려는 노력도 나타나고 있다.

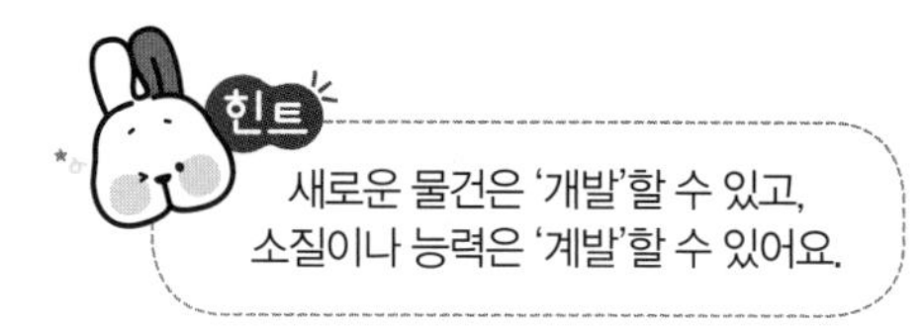

▶ 정답 및 해설 27쪽

「플라스틱 빨대의 사용을 줄이자」를 읽고, 친환경 빨대로 빙고 게임을 하려고 합니다. 규칙에 맞게 빙고 세 줄을 완성하려면 물음표가 그려진 칸에 공통으로 무엇이 들어가야 할지 골라 ○표를 하세요.

규칙

가로, 세로, 대각선의 같은 줄에 같은 그림이 있으면 빙고 한 줄이 완성됩니다.

(1) 스테인리스 빨대

(　　　)

(2) 종이 빨대

(　　　)

(3) 대나무 빨대

(　　　)

「플라스틱 빨대의 사용을 줄이자」의 내용을 떠올려 보고 빙고 게임을 하며 **친환경 빨대의 종류**를 알아봅니다.

4주 3일

희곡 (문학)

올빼미의 눈

공부한 날 월 일

알맞은 표정, 몸짓, 말투를 생각하며 읽어 봐!

「올빼미의 눈」을 읽고 인물의 표정, 몸짓, 말투를 생각해 보세요.
인물의 성격이나 마음을 짐작해 본 뒤에
인물의 말에 어울리는 표정, 몸짓, 말투를 생각하면 된답니다.

▶정답 및 해설 28쪽

● 오늘 공부할 글의 그림을 미리 보고, 빈칸에 알맞은 낱말을 각각 찾아 쓰세요.

구경　　　실상　　　장수

무대에 제비와 올빼미가 있네요. 제비는 안경을 잔뜩 들고 있는 것으로 보아 안경 ❶ ______ 인 것 같아요. 올빼미는 안경을 ❷ ______ 하고 싶어 하는 것 같아요.

❶ → 장사하는 사람.

❷ → 흥미나 관심을 가지고 봄.

올빼미의 눈

윤석중

스스로 독해

희곡에는 인물의 표정이나 몸짓, 말투를 직접 알려 주는 지문이 있어요. 점선 부분을 따라 선을 그으며 읽고 인물의 표정, 몸짓, 말투를 떠올려 보세요.

올빼미: (숲속에서 말 중간을 끊어) 여보, 안경 장수. 잠깐 기다리라니까.

제비: ㉠ 어디서 부르실까? 암만 찾아도 모르겠네.

올빼미: (숲속에서 얼굴만 내밀고 지팡이를 굴리며) ㉡ 아, 여기서 불렀어. 여기서. 저런 저런. 아, 이곳 이 숲속에서 부른다니까…….

제비: 오오, 옳지. 네, 네, 거기서 부르시는군.

올빼미: 여보게, 그 안경 하나 구경시키게그려.

제비: 네, 그러시오. 자, 이리 이 환한 곳으로 나오셔서 마음대로 고르시오.

올빼미: (두 눈을 두리번거리며) 나도 실상은 환한 곳으로 나가고 싶지만, 해가 불그레 비쳐 오기만 하면 마치 장님 같아서 온 물건이 하나도 뵈지 않아. ㉢ 원, 견딜 수가 있어야지.

어휘 풀이

- **장수** 장사하는 사람. ㉔ 사과 장수가 신선한 사과를 팔고 있다.
- **암만** 정도가 매우 심함을 나타내는 말. ㉔ 암만 기다려도 버스가 오지 않았다.
- **구경** 흥미나 관심을 가지고 봄. ㉔ 친구에게 동물원을 구경시켜 주었다.
- **실상** | 열매 실 實, 형상 상 狀 | 실제의 상태나 내용. ㉔ 겉으로는 멀쩡해 보였지만 실상은 그렇지 않았다.

▶정답 및 해설 28쪽

1 유추

㉠을 말할 때 어울리는 말투는 무엇인가요? (　　　　)

① 신난 말투　② 기뻐하는 말투
③ 어리둥절한 말투　④ 부러워하는 말투
⑤ 자신감 있는 말투

스스로 독해 해결! 서술형

2 이해

㉡을 말할 때 올빼미가 해야 할 몸짓은 무엇인지 쓰세요.

숲속에서 ______________________________

3 유추

㉢을 말할 때 올빼미의 표정은 어떠할지 알맞은 것에 ○표를 하세요.

(1) (　　　)　(2) (　　　)

힌트 온 물건이 하나도 보이지 않아 답답해하는 올빼미의 마음에 어울리는 표정을 찾아보아요.

4 요약

이 글의 내용을 정리하여 빈칸에 알맞은 말을 쓰세요.

숲속에 있는 ❶ [　][　][　] 가 안경 장수 ❷ [　][　] 를 불러 안경을 구경시켜 달라고 말한다. → 안경 장수는 환한 곳으로 나오셔서 마음대로 고르시라고 말한다. → 올빼미는 환한 곳으로 나가면 온 물건이 하나도 보이지 않아 견딜 수 없다고 말한다.

▶정답 및 해설 28쪽

1 「올빼미의 눈」에 나오는 다음 문장에서 밑줄 그은 낱말과 바꾸어 쓸 수 있는 말을 각각 찾아 선으로 이으세요.

(1) 어디서 부르실까? • • ① 이곳에서

(2) 아, 여기서 불렀어. • • ② 그곳에서

(3) 네, 네, 거기서 부르시는군. • • ③ 어느 곳에서

2 다음 설명을 잘 읽고 「올빼미의 눈」의 내용에 알맞은 낱말을 찾아 ◯표를 하세요.

비쳐	비춰
빛이 나서 환하게 되어.	빛을 내는 대상이 다른 대상에 빛을 보내어 밝게 하여.
예 달빛이 비쳐 밤인데도 환했다.	예 손전등을 어두운 곳에 비춰 봐.

• 해가 불그레 (비쳐 , 비춰) 오기만 하면 마치 장님 같아서 온 물건이 하나도 뵈지 않아.

힌트 스스로 빛이 날 때에는 '비치다'를, 빛을 내는 대상이 다른 대상에 빛을 보낼 때에는 '비추다'를 써요.

▶ 정답 및 해설 28쪽

◉ 「올빼미의 눈」에 나오는 올빼미는 해가 비치면 장님같이 된대요. 실제로 올빼미의 눈에 어떤 특징이 있는지 알아볼까요? 다음 관찰 기록장을 보고, 정리한 내용에 알맞은 말을 각각 골라 ◯표를 하세요.

관찰 기록장

주로 밤에 활동하는 올빼미는 빛이 적은 곳에서도 잘 볼 수 있도록 눈이 크고 잘 발달되어 있어요.

올빼미는 눈이 앞쪽에 몰려 있어서 앞면을 볼 수 있고, 거리를 정확하게 측정할 수 있어서 먹이 사냥에 유리해요.

주로 밤에 활동하는 올빼미는 눈이 (1) (커서 , 작아서) 빛이 적은 곳에서도 잘 볼 수 있고, 눈이 앞쪽에 몰려 있어서 (2) (거리 , 속도)를 정확하게 측정할 수 있어요.

「올빼미의 눈」에 나오는 올빼미의 모습을 떠올리며 **올빼미의 눈의 특징**에 대하여 더 알아봅니다.

4주 4일

문화 (비문학)

조상의 슬기가 담긴 한옥

공부한 날 월 일

설명 방법을 생각하며 읽자!

「조상의 슬기가 담긴 한옥」에서 한옥을 설명한 방법을 생각해 보세요.
전달하려는 내용을 짜임새 있게 정리하기 위해서
전체를 여러 부분으로 나누어 설명하는 방법을 분석이라고 해요.
글에서 한옥을 몇 개의 부분으로 나누어 설명하는지 찾아보아요.

똑똑한

하루 독해 미리 보기

▶정답 및 해설 29쪽

● 오늘 공부할 글의 사진을 미리 보고, 빈칸에 알맞은 낱말을 보기 에서 각각 찾아 쓰세요.

보기

널빤지　　　　아궁이　　　　초가집

❶ 

짚이나 갈대 따위로 지붕 위를 덮은 집.

㉮ ○○○과 기와집에는 온돌과 마루가 있다.

❷ 

방이나 솥 따위에 불을 때기 위하여 만든 구멍.

㉮ ○○○에 불을 때었다.

❸ 

판판하고 넓게 세로로 톱질하여 쪼갠 나뭇조각.

㉮ 한옥의 마루는 바닥과 사이를 띄우고 ○○○를 깔아 놓은 것이다.

한옥을 여러 부분으로 나눌 수 있다고?

조상의 슬기가 담긴 한옥

스스로 독해

한옥은 어떤 부분들로 이루어져 있을까요? ( ) 속 낱말을 색칠하며 살펴보세요.

▼초가집과 기와집에는 온돌과 마루가 있어요. 온돌은 방에 넓적한 큰 돌을 놓고 흙으로 덮은 뒤, ▼아궁이에 불을 때어 방바닥을 따뜻하게 하는 것이고, 마루는 바닥과 사이를 띄우고 ▼널빤지를 깔아 놓은 거예요.

온돌과 마루는 오직 우리나라의 집에서만 볼 수 있어요.

온돌과 마루가 한집에 다 있기 때문에, 우리 조상들은 겨울에는 (㉠) 온돌방에서 지내고, 여름에는 시원한 마루에서 낮잠을 즐길 수 있었어요. 이러한 우리나라 집을 '한옥'이라고 불러요. 한옥은 사계절이 있는 우리나라의 ▼기후에 딱 맞는 집이라고 할 수 있지요.

또 한옥에는 처마가 있어요. 처마는 지붕이 벽보다 조금 더 바깥쪽으로 나와 있는 부분을 말해요. 위쪽에서 부는 비바람을 막아 줄 뿐 아니라, 1년 내내 집 안으로 적당한 햇볕이 들어오도록 한답니다.

어휘 풀이

▼ **초가**|풀 초 草, 집 가 家|**집** 짚이나 갈대 따위로 지붕 위를 덮은 집.
㉓ 바람이 세게 불어서 초가집 지붕 위에 돌을 얹어 두었다.

▼ **아궁이** 방이나 솥 따위에 불을 때기 위하여 만든 구멍. ㉓ 아궁이에 불을 지펴 밥을 지었다.

▼ **널빤지** 판판하고 넓게 세로로 톱질하여 쪼갠 나뭇조각. ㉓ 널빤지로 부엌문을 만들었다.

▼ **기후**|날씨 기 氣, 상태 후 候| 일정한 지역에서 여러 해에 걸쳐 나타난 기온, 비, 눈, 바람 따위의 평균 상태.
㉓ 이곳의 기후는 사과가 잘 자라기에 적당하다.

▶ 정답 및 해설 29쪽

1 어휘

우리나라 집을 부르는 말로 알맞은 것에 ○표를 하세요.

(1) 한옥 (　　　)　　(2) 양옥 (　　　)

2 유추

㉠ 안에 들어가기에 알맞은 말은 무엇일까요? (　　　)

① 추운　② 차가운　③ 따뜻한
④ 서늘한　⑤ 싸늘한

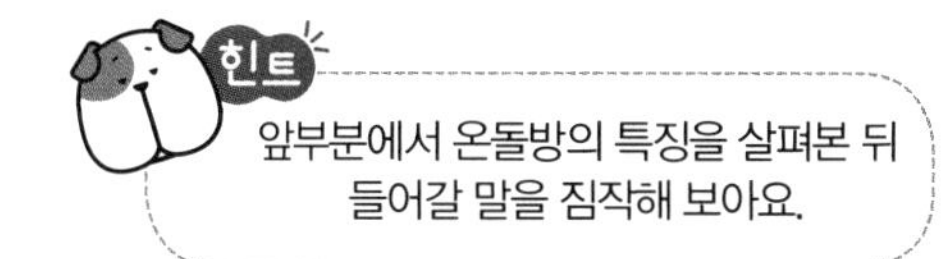

서술형

3 이해

처마의 역할은 무엇인지 쓰세요.

위쪽에서 부는 비바람을 막아 주고, 1년 내내 ____

____

____

4주 4일

스스로 독해 해결!

4 요약

이 글의 내용을 정리하여 빈칸에 알맞은 말을 각각 쓰세요.

한옥

❶ □□: 방에 넓적한 큰 돌을 놓고 흙으로 덮은 뒤, 아궁이에 불을 때어 방바닥을 따뜻하게 하는 것

❷ □□: 바닥과 사이를 띄우고 널빤지를 깔아 놓은 것

❸ □□: 지붕이 벽보다 조금 더 바깥쪽으로 나와 있는 부분

▶정답 및 해설 29쪽

1 다음 설명을 잘 읽고 「조상의 슬기가 담긴 한옥」의 내용에 알맞은 낱말을 찾아 ○표를 하세요.

띠고	띄우고
감정이나 기운 따위를 나타내고.	공간적으로 거리를 꽤 멀게 하고.
(안녕?)	
예 얼굴에 미소를 띠고 인사하였다.	예 자리를 더 띄우고 앉는 것이 좋겠다.

• 마루는 바닥과 사이를 (띠고 , 띄우고) 널빤지를 깔아 놓은 것이다.

2 「조상의 슬기가 담긴 한옥」에 나오는 다음 낱말의 짜임을 생각하며 빈칸에 알맞은 말을 각각 쓰세요.

힌트
어떤 낱말과 어떤 낱말을 합쳐 만들어진 낱말인지 생각해 보아요.

재미있는 독해 게임으로 독해력 쑥쑥

▶정답 및 해설 29쪽

● 「조상의 슬기가 담긴 한옥」을 읽고 나서 한옥을 짓는 방법을 알아보려고 해요. 사다리 타기 놀이를 하여 도착한 곳에 각각 기호를 쓰세요.

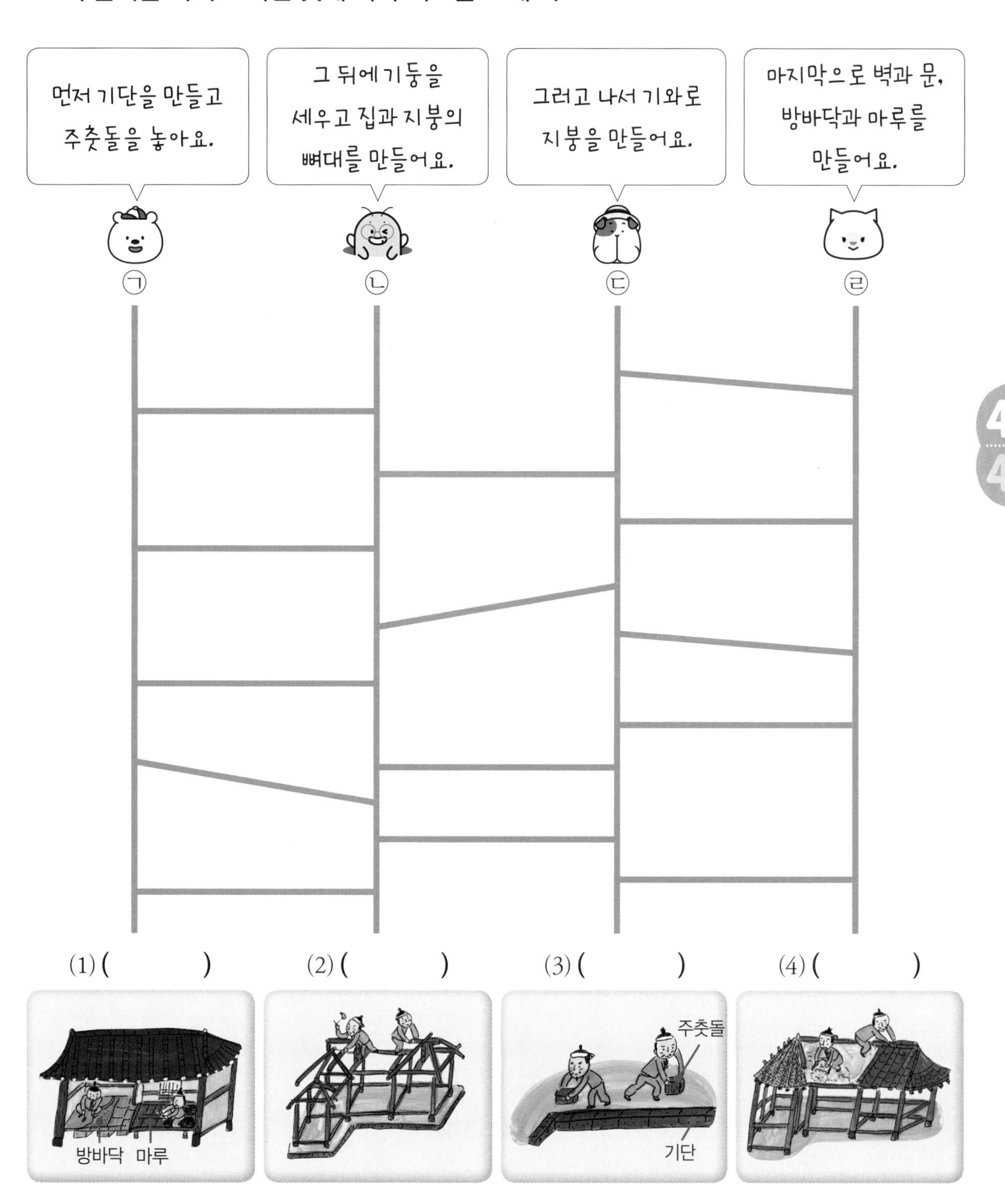

「조상의 슬기가 담긴 한옥」의 내용을 떠올리며 **한옥을 짓는 방법**을 그림과 함께 더 알아봅니다.

4주 5일

생활 속 독해

지하철 유실물 신고 안내

공부한 날 월 일

모르는 낱말의 뜻을 짐작하며 읽자!

모르는 낱말의 뜻을 짐작하며 「지하철 유실물 신고 안내」를 읽어 보세요.
앞뒤 문장이나 낱말을 살펴보며 뜻을 짐작해 보거나
짐작한 뜻과 뜻이 비슷한 낱말을 넣어 보면 된답니다.

▶ 정답 및 해설 30쪽

● 오늘 공부할 글의 그림을 미리 보고, 빈칸에 알맞은 낱말을 보기 에서 각각 찾아 쓰세요.

보기
방문　　　분실　　　신고

❶ 

자기도 모르는 사이에 물건 따위를 잃어버림.

예 지하철에서 소지품을 ○○했다.

❷ 

어떠한 사실을 행정 관청에 알림.

예 지하철 유실물 센터에 전화로 ○○해야 한다.

❸ 

어떤 사람이나 장소를 찾아가서 만나거나 봄.

예 유실물을 찾으려면 지하철 유실물 센터에 ○○해야 한다.

지하철에 물건을 두고 내렸다고?

지하철 유실물 센터 누리집 방문하기

지하철 유실물 신고 안내

스스로 독해

'유실물'의 뜻을 잘 모르겠다고요? 점선 부분을 따라 선을 그으며 읽고 그 부분에 나오는 낱말을 보고 뜻을 짐작해 보세요.

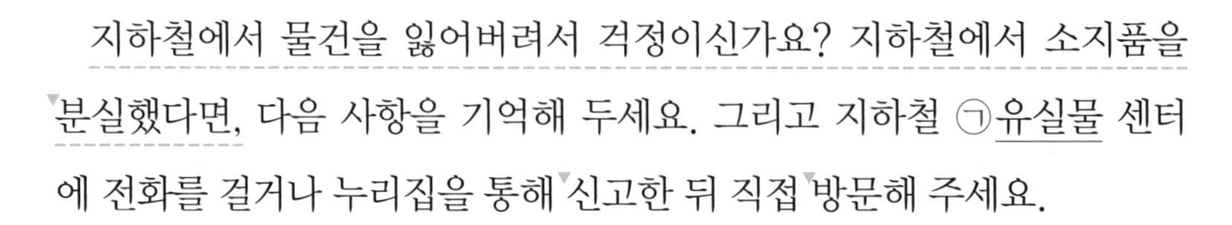
지하철에서 물건을 잃어버려서 걱정이신가요? 지하철에서 소지품을 ▼분실했다면, 다음 사항을 기억해 두세요. 그리고 지하철 ㉠유실물 센터에 전화를 걸거나 누리집을 통해 ▼신고한 뒤 직접 ▼방문해 주세요.

지하철에서 내린 역과 시간을 기억해 두세요. 열차 번호를 기억해 두셔도 됩니다.

㉧ 신풍역에서 오후 3시에 내렸어요. 7283 열차였어요.

지하철의 몇 번째 칸에서 내렸는지 기억해 두세요. 내린 곳의 바닥에 있는 번호를 확인하면 됩니다.

㉧ 7-2 칸에서 내렸어요.

분실물의 특징을 기억나는 대로 적어 두세요. 잃어버린 물건의 모양, 무늬, 색상 등을 자세히 설명해야 합니다.

㉧ 붉은색 가방이고요. (㉢)

어휘 풀이

▼**분실** | 어지러울 분 紛, 잃을 실 失 | 자기도 모르는 사이에 물건 따위를 잃어버림.

㉧ 물건을 분실할 수도 있으니 이름을 꼭 써 두어야 한다.

▼**신고** | 납 신 申, 아뢸 고 告 | 어떠한 사실을 행정 관청에 알림.

㉧ 주민의 신고를 받은 경찰이 출동하였다.

▼**방문** | 찾을 방 訪, 물을 문 問 | 어떤 사람이나 장소를 찾아가서 만나거나 봄.

㉧ 우리 집에 방문한 손님들을 맞이하였다.

▶ 정답 및 해설 30쪽

스스로 독해 해결!

1 어휘

㉠의 뜻으로 알맞은 것은 무엇인가요? (   )

① 되찾은 물건.
② 잃어버린 물건.
③ 쓸모없어서 버린 물건.
④ 다른 사람에게 빌린 물건.
⑤ 다른 사람에게 선물한 물건.

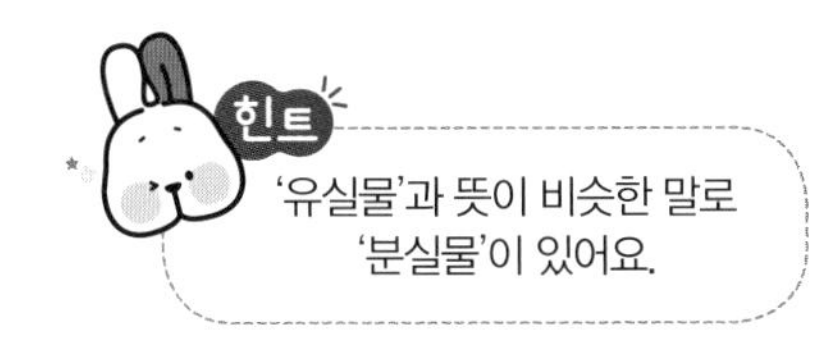

서술형

2 이해

지하철의 몇 번째 칸에서 내렸는지 알 수 있는 방법은 무엇인지 쓰세요.

내린 곳의 ______________________ 를 확인한다.

3 유추

㉢ 안에는 ㉡에 나타난 분실물의 특징을 설명하는 말이 들어가야 합니다. 어떤 말이 들어가야 할지 ○표를 하세요.

(1) 앞쪽 아랫부분에 주머니가 있어요. (   )
(2) 앞쪽 윗부분에 꽃무늬가 그려져 있어요. (   )
(3) 앞쪽 겉면에 세로 줄무늬가 그려져 있어요. (   )

4 요약

지하철 유실물을 신고할 때 해야 할 일을 정리하여 빈칸에 알맞은 말을 각각 쓰세요.

지하철에서 내린 역과 ❶ ______, 열차 번호, 내린 칸의 번호, 분실물의 특징 등을 기억해 두었다가 지하철 ❷ ______ 센터에 신고한 뒤 방문해야 한다.

▶ 정답 및 해설 30쪽

1 「지하철 유실물 신고 안내」에 나오는 다음 문장에서 밑줄 그은 낱말과 뜻이 비슷한 말을 각각 찾아 선으로 이으세요.

(1) 지하철에서 물건을 잃어버려서 걱정이신가요? •　　　　• ① 문양

(2) 지하철에서 소지품을 분실했다면, 다음 사항을 기억해 두세요. •　　　　• ② 근심

(3) 잃어버린 물건의 모양, 무늬, 색상 등을 자세히 설명해야 합니다. •　　　　• ③ 소유품

2 「지하철 유실물 신고 안내」에 나오는 다음 문장에서 밑줄 그은 낱말과 같은 뜻으로 쓰인 낱말을 골라 ○표를 하세요.

지하철에서 내린 역과 시간을 기억해 두세요.

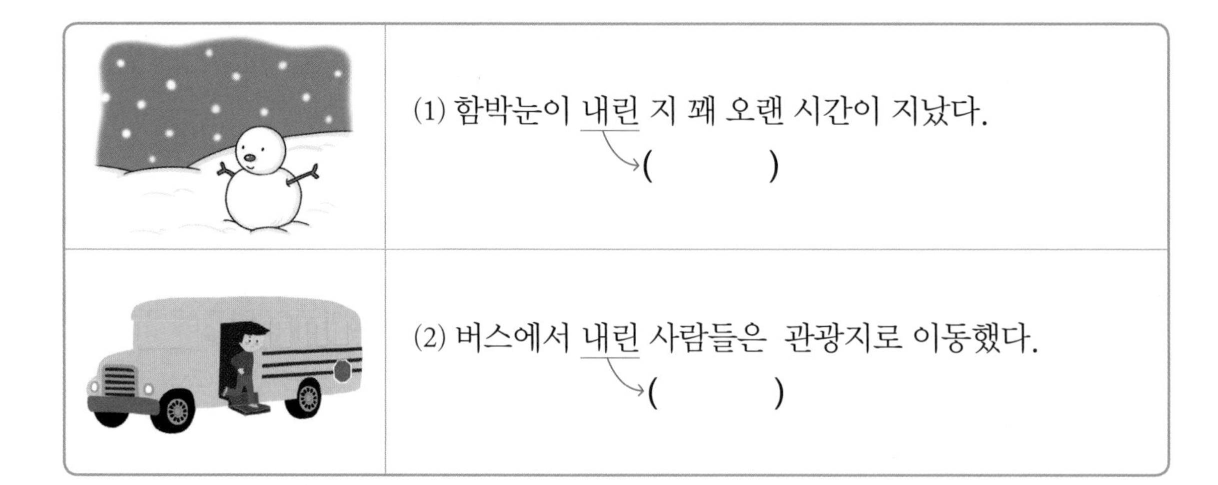

(1) 함박눈이 내린 지 꽤 오랜 시간이 지났다. (　　　)

(2) 버스에서 내린 사람들은 관광지로 이동했다. (　　　)

힌트 '내리다'에는 여러 가지 뜻이 있어요. '탈것에서 밖이나 땅으로 옮아가다.'라는 뜻으로 쓰인 낱말을 찾아보아요.

▶ 정답 및 해설 30쪽

「지하철 유실물 신고 안내」를 읽고 다섯 고개 놀이를 하며 유실물을 찾아 주려고 합니다. 친구가 잃어버린 유실물이 무엇인지 찾아 빈칸에 번호를 쓰세요.

고개	질문	대답
1	잃어버린 물건이 머리에 착용하는 물건인가요?	예, 머리에 착용하는 물건입니다.
2	잃어버린 물건에 노란색이 들어 있나요?	예, 노란색이 들어 있습니다.
3	잃어버린 물건에 초록색이 섞여 있나요?	아니요, 초록색은 섞여 있지 않습니다.
4	잃어버린 물건에 리본이 달려 있나요?	아니요, 리본이 달려 있지 않습니다.
5	잃어버린 물건에 꽃무늬가 있나요?	예, 꽃무늬가 있습니다.
	잃어버린 물건이 (　　　) 인가요?	예, 맞습니다.

① ② ③ ④ ⑤

4주 5일

「지하철 유실물 신고 안내」의 내용을 떠올리며 **다섯 가지의 질문과 대답을 하며 놀이**를 해 보고 물건의 특징을 살펴 알맞은 물건을 찾아봅니다.

누구나 100점 테스트

[1~3] 다음 글을 읽고, 물음에 답하세요.

주인은 익숙한 손놀림으로 델라의 머리털을 싹둑싹둑 잘라 냈습니다. 델라는 금세 짧은 머리의 개구쟁이 소년 같은 모습이 되었습니다.

미용실에서 나온 델라는 남편 짐에게 줄 선물을 사기 위해 시내의 상점을 돌아다녔습니다. 하지만 델라의 마음에 쏙 드는 물건을 찾기가 ㉠여간 어려운 일이 아니었습니다.

1 델라는 어디에서 어디로 이동하였는지 빈칸에 알맞은 장소를 쓰세요.

• (　　　　　　　　) → 시내의 상점

2 델라가 시내의 상점을 돌아다닌 까닭은 무엇인가요? (　　　)

① 머리를 자르려고
② 남편을 만나려고
③ 일할 곳을 찾으려고
④ 머리에 꽂을 핀을 사려고
⑤ 남편에게 줄 선물을 사려고

3 ㉠의 뜻으로 알맞은 것에 ○표를 하세요.

(1) 매우 어려운 일이었습니다. (　　　)
(2) 별로 어려운 일이 아니었습니다. (　　　)

[4~5] 다음 글을 읽고, 물음에 답하세요.

플라스틱 빨대는 여러 생물에게 피해를 준다. 버려진 플라스틱 빨대가 바다로 흘러가면 떠다니다가 바다 생물의 몸에 꽂혀 바다 생물에게 큰 부상을 입힐 수 있다. 또한 버려진 플라스틱 빨대의 조각을 새가 먹어 생명의 위협을 받기도 한다.

이러한 문제를 줄이기 위해 최근에는 플라스틱 빨대를 대신할 친환경 빨대를 개발하려는 노력도 나타나고 있다. 우리도 플라스틱 빨대의 사용을 줄이는 데 ㉠동참하자.

4 플라스틱 빨대가 생물에게 주는 피해가 아닌 것에 ×표를 하세요.

(1) 재활용하기가 힘들어 자원이 낭비된다. (　　　)
(2) 빨대의 조각을 새가 먹어 생명의 위협을 받는다. (　　　)
(3) 바다에서 떠다니다가 바다 생물의 몸에 꽂혀 부상을 입힌다. (　　　)

5 ㉠ 대신 쓸 수 있는 말은 무엇인가요? (　　　)

① 버리자　② 칭찬하자
③ 함께하자　④ 찾아보자
⑤ 사용하자

점수

▶정답 및 해설 30쪽

[6~7] 다음 글을 읽고, 물음에 답하세요.

올빼미: (숲속에서 말 중간을 끊어) 여보, 안경 장수. 잠깐 기다리라니까.
제비: ㉠어디서 부르실까? 암만 찾아도 모르겠네.
올빼미: (숲속에서 얼굴만 내밀고 지팡이를 굴리며) 아, 여기서 불렀어. 여기서. 저런 저런. 아, 이곳 이 숲속에서 부른다니까…….

6 제비의 직업은 무엇인지 ○표를 하세요.

(1) 안경을 파는 직업 ( )
(2) 나무를 가꾸는 직업 ( )

7 ㉠을 말할 때 알맞은 표정과 몸짓을 말한 친구의 이름을 쓰세요.

지원: 고개를 좌우로 움직이며 어리둥절한 표정을 지어야 해.
유나: 고개를 푹 숙이고 기운 없는 표정을 지어야 해.

( )

[8~9] 다음 글을 읽고, 물음에 답하세요.

온돌과 마루가 한집에 다 있기 때문에, 우리 조상들은 겨울에는 따뜻한 온돌방에서 지내고, 여름에는 시원한 마루에서 낮잠을 즐길 수 있었어요. 이러한 우리나라 집을 '한옥'이라고 불러요. 한옥은 사계절이 있는 우리나라의 기후에 딱 맞는 집이라고 할 수 있지요.
또 한옥에는 처마가 있어요.

8 다음 중 한옥의 모습으로 알맞은 것을 골라 ○표를 하세요.

(1)  ( )

(2)  ( )

9 우리 조상들은 여름과 겨울에 주로 어디에서 지냈는지 알맞은 것끼리 선으로 각각 이으세요.

(1) 여름 • • ㉠ 온돌방
(2) 겨울 • • ㉡ 마루

10 다음 ㉠과 뜻이 비슷한 낱말을 글에서 찾아 쓰세요.

지하철에서 소지품을 분실했다면, 다음 사항을 기억해 두세요. 그리고 지하철 ㉠유실물 센터에 전화를 걸거나 누리집을 통해 신고한 뒤 직접 방문해 주세요.
- 분실물의 특징을 기억나는 대로 적어 두세요. 잃어버린 물건의 모양, 무늬, 색상 등을 자세히 설명해야 합니다.

( )

4주 평가

창의

1 다음 만화를 읽고, 4주차에서 배운 낱말을 떠올려 어휘 퀴즈에 알맞은 낱말을 빈칸에 각각 쓰세요.

▶정답 및 해설 31쪽

4주 특강

어휘 퀴즈

❶ '마을 뒷산에 불이 났다는 ○○가 들어왔다.'에서 빈칸에 들어갈 말은? →

❷ '생명이나 신체, 재산, 명예 따위에 손해를 입음. 또는 그 손해.'를 뜻하는 말은?

→

❸ '흥미나 관심을 가지고 봄.'을 뜻하는 말은? →

융합

2 「조상의 슬기가 담긴 한옥」을 읽고 우리나라 전통 집에 대해서 공부했어요. 세계 여러 나라에는 또 어떠한 집이 있을까요? 다음 내용을 잘 보고 문장에 들어갈 낱말을 골라 ○표를 하세요.

잔디 지붕 집

아이슬란드와 노르웨이 등에서 볼 수 있는 집으로, 지붕에 잔디를 깔아 여름에는 시원하고, 겨울에는 따뜻하게 지낼 수 있습니다.

물 위 집

기온이 높은 태국, 베트남, 말레이시아 등에서는 물가에 나무로 기둥을 만들어 그 위에 집을 짓고 살기도 합니다.

얼음집(이글루)

겨울이 아주 긴 알래스카 지역 등 북극 가까이에 사는 사람들은 단단한 눈을 벽돌 모양으로 잘라 쌓아 집을 만듭니다.

흙벽돌집

비가 거의 내리지 않는 사막에서 짓는 집으로 흙벽돌이 뜨거운 햇빛을 막아 주어 시원하게 지낼 수 있는 집입니다.

통나무집

러시아의 전통적인 집 형태로, 겨울에도 추위를 견딜 수 있도록 통나무를 쌓아 올려 만든 튼튼한 집입니다.

세계 여러 나라의 집의 모습은 그 나라의 (크기 , 기후 , 인구 수)와 관련이 있습니다.

▶정답 및 해설 31쪽

코딩

3 지하철역에 간 도훈이는 누군가 잃어버린 물건을 주워서 유실물 센터에 기져다주었어요. 다음 코딩 명령에 따라 이동한 도훈이가 주워서 유실물 센터에 가져다준 물건은 무엇무엇일지 빈칸에 알맞은 말을 쓰세요.

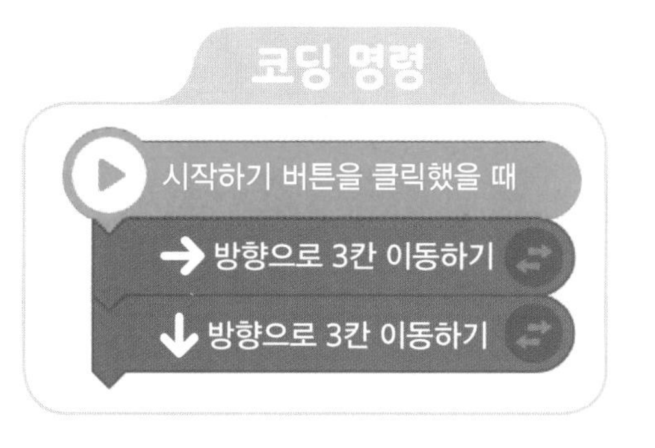

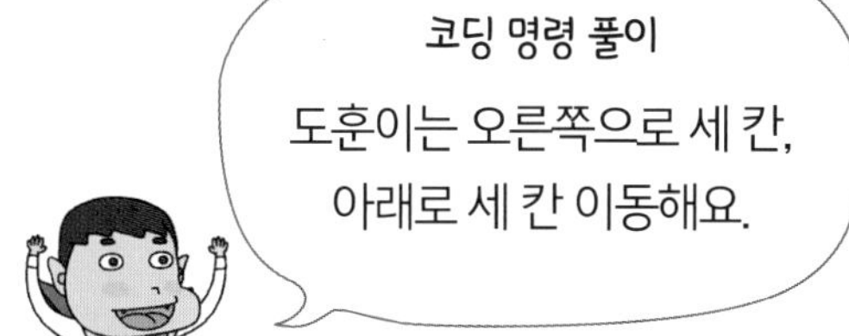

도훈이가 유실물 센터에 가져다준 유실물은 와/과 입니다.

창의

4 현수막을 보고 알맞은 낱말에 각각 ○표를 하세요.

생활 어휘

얘들아! (1) (학교 , 나라)가 세워진 지 30년이 된 것을 기념하여 행사를 하네. 5월 9일에 학교 운동장에 모여서 (2) (시장 , 극장)처럼 물건을 사고파는 거야. 물건을 사고팔아서 생기는 돈은 우리 주변에서 형편이 (3) (좋은 , 어려운) 사람들을 위해 사용될 거래.

어휘 풀이

- **개교** | 열 개 開, 학교 교 校 | 학교를 새로 세워 처음으로 운영을 시작함.
  - ⓔ 우리 학교는 개교한 지 30년이 넘었다.
- **바자회** | 모일 회 會 | 공공 또는 사회사업의 자금을 모으기 위하여 벌이는 시장.
  - ⓔ 홍수로 피해를 입은 사람들을 돕기 위한 바자회를 열었다.
- **불우** | 아닐 불 不, 만날 우 遇 | 살림이나 처지가 딱하고 어려움. ⓔ 불우 이웃을 도웁시다.

▶정답 및 해설 31쪽

창의

5 問(물을 문) 자에 대해 알아보고, 다음 물음에 답하세요.

생활 한자

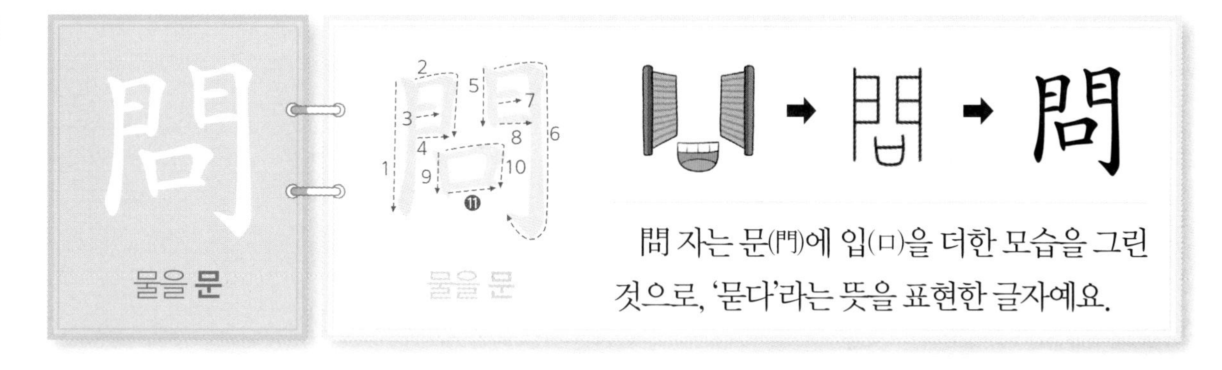

問 자는 문(門)에 입(口)을 더한 모습을 그린 것으로, '묻다'라는 뜻을 표현한 글자예요.

(1) 問 자가 들어간 낱말을 알아보고, 한자의 음을 쓰세요.

① 수업 시간에 모르는 것이 있어서 質問을 하였다.

질

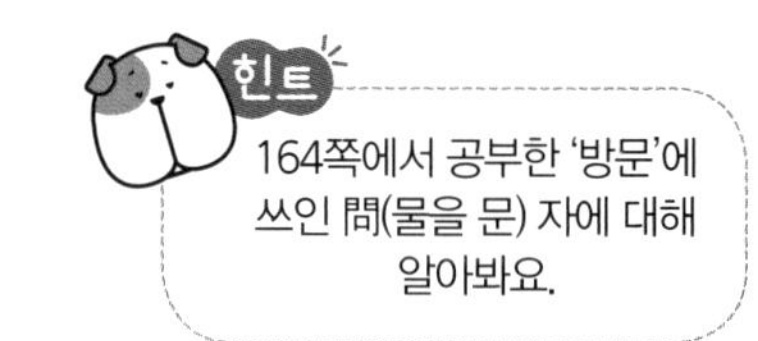

② 새로 만든 신발에 대한 設問 조사를 하였다.

설

(2) 한자 성어의 뜻을 알아보고, 빈칸에 알맞은 한자를 쓰세요.

東問西答

동녘 동 물을 문 서녘 서 대답할 답

물음과는 전혀 상관없는 엉뚱한 대답.

• 친구에게 장난감을 산 곳에 대해 물었는데 東 (   ) 西 答 (동문서답)을 하여 당황했다.

똑똑한 하루 독해 한권 끝!

독해 공부 하느라 수고했어요.
약속을 잘 지켰는지 돌아보고 ○표를 하세요.

약속한 사람 ________________

첫째, 하루하루 빠짐없이 꾸준히 공부했나요?	예	아니요
둘째, 하루 독해 문제를 끝까지 다 풀었나요?	예	아니요
셋째, 틀린 문제는 왜 틀렸는지 다시 한번 확인했나요?	예	아니요

약속을 잘 지키지 못한 부분은 스스로 돌아보고,
다음 단계를 공부할 때에는 더 열심히 해 봐요!

기초
학습능력 강화
프로그램

뚝 뚝 한
하루
독해

정답 및 해설

천재교육

정답과 해설
포인트 3가지

- 혼자서도 이해할 수 있는 친절한 문제 풀이
- 문제 해결에 도움을 주는 '더 알아보기'와
틀린 부분을 짚어 주는 '왜 틀렸을까?'
- 예시 답안과 채점 기준 제시로 서술형 문항 완벽 대비

뚝 뚝 한

하루 독해

정답 및 해설

빠른 정답

1주

010쪽~011쪽

1주에는 무엇을 공부할까? ❷

1-1 욕심쟁이 **1-2** 욕심쟁이
2-1 낳아도 **2-2** (2) ○

012쪽~017쪽 **1주 1일**

독해 미리 보기
1 맷돌 **2** 산더미

독해
1 (1) ○ **2** ①
3 소금이 금만큼이나 귀해서 등
4 ❶ 소금 ❷ 맷돌

독해 어휘
1 잊어버렸다
2 (1) 쟁이 (2) 장이 (3) 장이

독해 게임
욕심

018쪽~023쪽 **1주 2일**

독해 미리 보기
❶ 방사 ❷ 개체

독해
1 ⑤ **2** 모기 **3** 모기만을 골라 공격한다는 점이 다르다. 등
4 ❶ 모기 ❷ 짝짓기

독해 어휘
1 (1) 안 (2) 않 **2** (2) 구매 (3) 늘어났다

독해 게임
(1) 암컷 (2) 영양분

024쪽~029쪽 **1주 3일**

독해 미리 보기
❶ 꼬마 ❷ 거인 ❸ 함께

독해
1 ⑤ **2** (2) ○
3 꼭꼭 누구랑 같이 논다.
4 ❶ 거인 ❷ 물

독해 어휘
1 (1) 대인 (2) 소인 **2** 발랑
3 (1) 늘, 항상 (2) 같이, 더불어

독해 게임
(1) 뒤쪽 (2) 커져요

030쪽~035쪽 **1주 4일**

독해 미리 보기
❶ 셈 ❷ 발견 ❸ 이상

독해
1 ⑤ **2** ② **3** 열 개여서 등
4 ❶ 십진법 ❷ 손가락

독해 어휘
1 발견 **2** (1) 이하 (2) 이상

독해 게임
(1) ○

036쪽~041쪽 **1주 5일**

독해 미리 보기
❶ 쓰임새 ❷ 완전한

독해
1 ③ **2** ① **3** 친구 하자.
4 ❶ 함께 ❷ 친구

독해 어휘
1 다른 **2** ❶ 엄지 ❷ 집게 ❸ 새끼

독해 게임
(2) ○

042쪽~043쪽

누구나 100점 테스트

1 ② **2** ② **3** 욕심 **4** ④
5 ㉯, ㉱ **6** 그림자 **7** 채민 **8** 10
9 ④ **10** 다른

044쪽~049쪽

1주 특강

1 ❶ 한가운데 ❷ 맷돌 ❸ 이상
2 물웅덩이

3 (1) ㉡ (2) ㉠ (3) ㉣ (4) ㉢
4 (1) 먹는 (2) 먹고 나서 (3) 먹어
5 (1) ① 견 학 ② 견 문
(2) 見 物 生 心

2주

052쪽~053쪽

2주에는 무엇을 공부할까? ❷

1-1 볼품 **1-2** 나리
2-1 식후 **2-2** (2) ○

054쪽~059쪽

2주 1일

독해 미리 보기
❶ 빗물 ❷ 꽃신

독해
1 ③ **2** ① **3** 남을 위해 무슨 일인가 할 때 등 **4** ❶ 빗물 ❷ 행복

독해 어휘
1 (1) 빗물 (2) 햇빛 **2** (1) 소낙비 (2) 여우비 (3) 이슬비

독해 게임
❶ 수증기 ❷ 구름 ❸ 눈

060쪽~065쪽

2주 2일

독해 미리 보기
❶ 번식 ❷ 부리 ❸ 깃털

독해
1 (4) × **2** 깃털 **3** (딱딱하고 평평한) 물갈퀴
4 ❶ 알 ❷ 깃털 ❸ 새

독해 어휘
1 (1) 껍데기 (2) 껍질
2 (1) 낫다 (2) 낮다 (3) 낳았다

독해 게임

빠른 정답

빠른 정답

066쪽~071쪽

2주 3일

독해 미리 보기

❶ 양철 ❷ 모험

독해

1 ⑤ 2 어떤 소원이든 들어준다. 등
3 ❶ 사자 ❷ 허수아비 ❸ 양철

독해 어휘

1 (1) ○ 2 회오리바람 3 모험

독해 게임

도로시와 토토가 만나는 인물

사자 → 허수아비 → 양철 나무꾼

072쪽~077쪽

2주 4일

독해 미리 보기

❶ 민속놀이 ❷ 비롯되다 ❸ 강강술래

독해

1 ③ 2 여자들에게 남자 옷을 입혀 빙빙 돌게 했다 등 3 (1) 느리게 (2) 빨라진다
4 ❶ 손 ❷ 강강술래

독해 어휘

1 (1) 감시 (2) 후렴 2 맞추며 3 민속놀이

독해 게임

078쪽~083쪽

2주 5일

독해 미리 보기

1 충치 2 예방

독해

1 ③ 2 충치를 예방 등 3 (2) ○
4 ❶ 아래 ❷ 앞뒤

독해 어휘

1 (1) 식전 (2) 바깥쪽
2 (1) 앞니 (2) 송곳니 (3) 어금니

독해 게임

양치질을 할 때 필요한 도구는 (1) ㉠, ㉥ 이므로, 이 두 가지를 모두 사려면 (2) 5300 원이 필요하다.

084쪽~085쪽

누구나 100점 테스트

1 ② 2 남 3 ㉢ 4 (2) ×
5 새이다 6 오즈의 마법사
7 (1) ③ (2) ② (3) ① 8 추석
9 (2) × 10 유솔

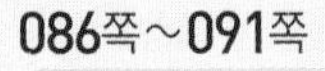

086쪽~091쪽

2주 특강

1 ❶ 습도 ❷ 빈속놀이 ❸ 후림
2 (2) ○

3 (1) ○ **4** (1) 후보 (2) 약속
5 (1) ① 자 동 ② 자 신
(2) 自 信 滿 滿

3주

094쪽~095쪽

3주에는 무엇을 공부할까? ❷

1-1 (1) ○ **1-2** 의상
2-1 밤 열두 시 **2-2** 자정

096쪽~101쪽

3주 1일

독해 미리 보기
❶ 거리 ❷ 유물 ❸ 전통

독해
1 ④ **2** 아버지께서 추천해 주신 여행 장소 등
3 ② **4** ❶ 인형 ❷ 특색 ❸ 치파오

독해 어휘
1 (1) 어머니께서 (2) 설명하시는
2 (1) ③ (2) ① (3) ②

독해 게임
(1) 2 (2) 1

102쪽~107쪽

3주 2일

독해 미리 보기
❶ 부리 ❷ 수면

독해
1 ③ **2** 위로 휘었기 등 **3** (2) ○
4 ❶ 먹이 ❷ 위 ❸ 곡식

독해 어휘
1 (1) ③ (2) ② (3) ① **2** 그래서

독해 게임

시작
나는 짧고 단단한 부리를 가졌어. 나는 어떤 먹이를 먹을까?
나는 날카롭게 휘어진 부리를 가졌어. 나는 어떤 먹이를 먹을까?
나는 위로 휘어진 부리를 가졌어. 나는 어떤 먹이를 먹을까?
도착

108쪽~113쪽

3주 3일

독해 미리 보기
❶ 꽃밭 ❷ 한창

독해
1 ②, ③, ④ **2** ② **3** (날 보고) 꽃같이
4 ❶ 꽃밭 ❷ 생각 ❸ 아빠

독해 어휘
1 (1) 채송화(나팔꽃) (2) 나팔꽃(채송화) **2** 매어

독해 게임
(1) 감아 (2) 있어야

빠른 정답

빠른 정답

114쪽~119쪽

3주 4일

독해 미리 보기

1 신성한 **2** 특별한

독해

1 (1) 고주몽 (2) 박혁거세 (3) 김수로
2 연결해 주는 신성한 존재 등 **3** ①
4 ❶ 알 ❷ 왕

독해 어휘

1 (1) 전부 (2) 사실 (3) 연관 (4) 임금 **2** 나라

독해 게임

(1) 고구려 (2) 신라 (3) 가야

120쪽~125쪽

3주 5일

독해 미리 보기

1 정오 **2** 폭우

독해

1 ②, ③, ④ **2** 우산이나 비옷을 꼭 챙기는 등
3 (1) ○ **4** ❶ 바람 ❷ 햇빛

독해 어휘

1 (1) 낮다 (2) 높다 **2** (1) 오전 (2) 오후

독해 게임

126쪽~127쪽

누구나 100점 테스트

1 준혁 **2** 가끔 **3** (1) ○ **4** ④
5 물고기 **6** 꽃밭 **7** (2) ○ **8** 없다
9 (1) ② (2) ① **10** ②, ④

128쪽~133쪽

3주 특강

1 ❶ 특별 ❷ 폭우 ❸ 염려
2 (1) ○

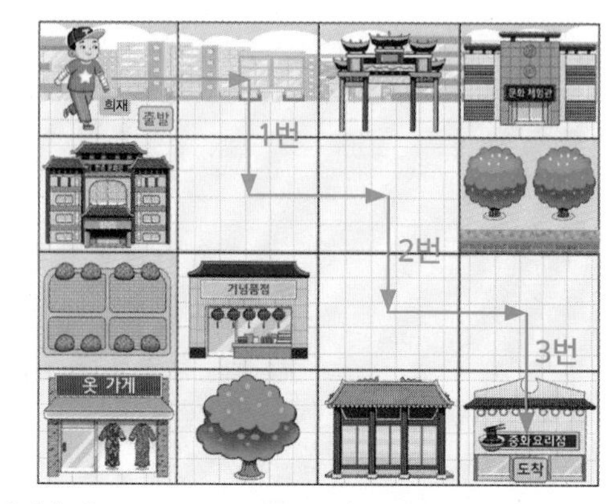

3 (2) ○
4 (1) 빌릴 (2) 그날 (3) 만들
5 (1) ① 상 의 ② 백 의
(2) 好 衣 好 食

4주

136쪽~137쪽

4주에는 무엇을 공부할까? ❷

1-1 금세 **1-2** 금세
2-1 (1) ○ **2-2** 부상

138쪽~143쪽

4주 1일

독해 미리 보기

❶ 선물 ❷ 값

독해

1 소년 **2** ① **3** 선물을 받고 기뻐할 짐의 얼굴 등
4 ❶ 머리털 ❷ 시곗줄

독해 어휘

1 (1) 같다 (2) 갖고 **2** (1) 소녀 (2) 팔다

독해 게임

미국

144쪽~149쪽

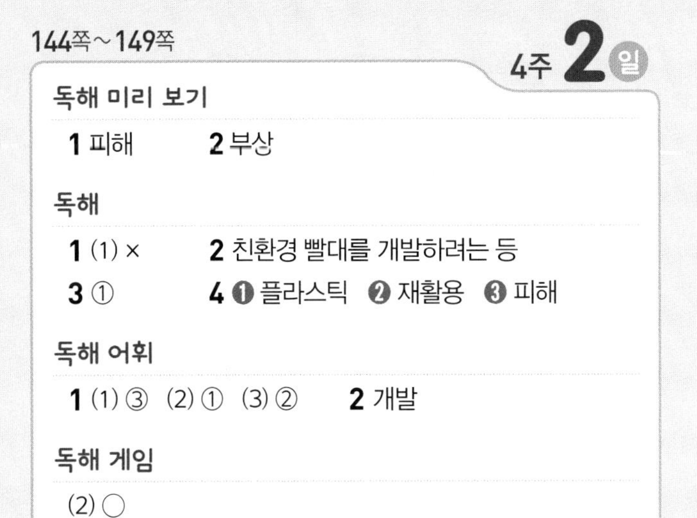

4주 2일

독해 미리 보기

1 피해　2 부상

독해

1 (1) ×　2 친환경 빨대를 개발하려는 등
3 ①　4 ❶ 플라스틱 ❷ 재활용 ❸ 피해

독해 어휘

1 (1) ③ (2) ① (3) ②　2 개발

독해 게임

(2) ○

150쪽~155쪽

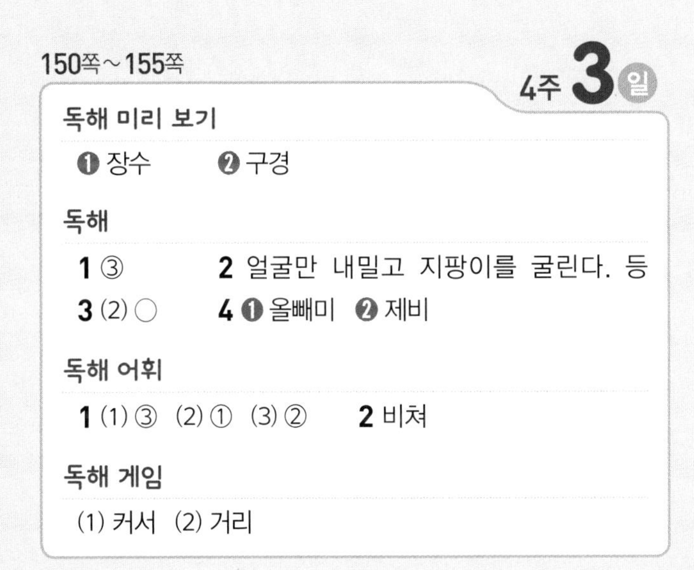

4주 3일

독해 미리 보기

❶ 장수　❷ 구경

독해

1 ③　2 얼굴만 내밀고 지팡이를 굴린다. 등
3 (2) ○　4 ❶ 올빼미 ❷ 제비

독해 어휘

1 (1) ③ (2) ① (3) ②　2 비쳐

독해 게임

(1) 커서 (2) 거리

156쪽~161쪽

4주 4일

독해 미리 보기

❶ 초가집　❷ 아궁이　❸ 널빤지

독해

1 (1) ○　2 ③　3 집 안으로 적당한 햇볕이 들어오도록 한다. 등
4 ❶ 온돌 ❷ 마루 ❸ 처마

독해 어휘

1 띄우고　2 (1) 잠 (2) 비

독해 게임

(1) ㉣ (2) ㉡ (3) ㉠ (4) ㉢

162쪽~167쪽

4주 5일

독해 미리 보기

❶ 분실　❷ 신고　❸ 방문

독해

1 ②　2 바닥에 있는 번호 등　3 (1) ○
4 ❶ 시간 ❷ 유실물

독해 어휘

1 (1) ② (2) ③ (3) ①　2 (2) ○

독해 게임

④

168쪽~169쪽

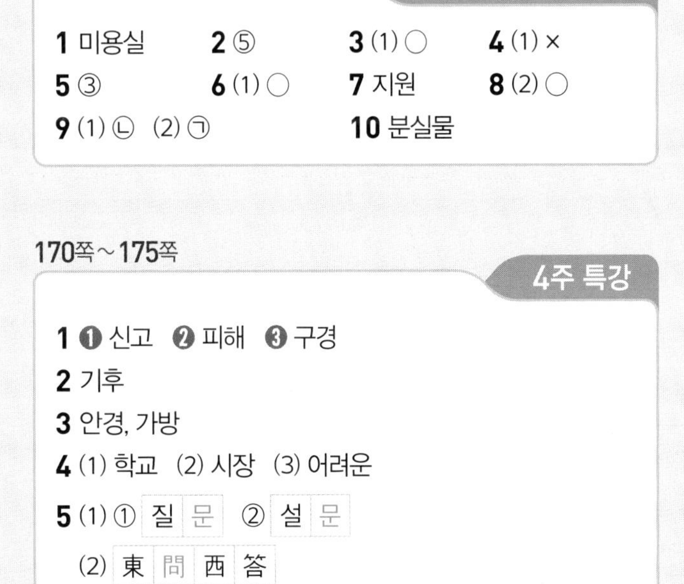

누구나 100점 테스트

1 미용실　2 ⑤　3 (1) ○　4 (1) ×
5 ③　6 (1) ○　7 지원　8 (2) ○
9 (1) ㉡ (2) ㉠　10 분실물

170쪽~175쪽

4주 특강

1 ❶ 신고 ❷ 피해 ❸ 구경
2 기후
3 안경, 가방
4 (1) 학교 (2) 시장 (3) 어려운
5 (1) ① 질 문 ② 설 문
(2) 東 問 西 答

1주 정답 및 해설

010쪽~011쪽 이번 주에는 무엇을 공부할까? 2

1-1 욕심쟁이　　1-2 욕심쟁이
2-1 낳아도　　2-2 (2) ○

1-1 '어떤 특성이 있는 사람'이라는 뜻을 더할 때에는 '-쟁이'를 붙여 '욕심쟁이' 등으로 씁니다.

1-2 '욕심이 많은 사람을 낮잡아 이르는 말.'은 '욕심쟁이'입니다. '-장이'는 어떠한 기술을 가지고 있는 사람을 가리킬 때 붙는 말입니다.

2-1 암컷 모기가 알을 몸 밖으로 내놓은 것이므로, '낳아도'가 알맞습니다.

2-2 닭이 알을 몸 밖으로 내놓았을 때에는 '알을 낳았어.'가 알맞습니다.

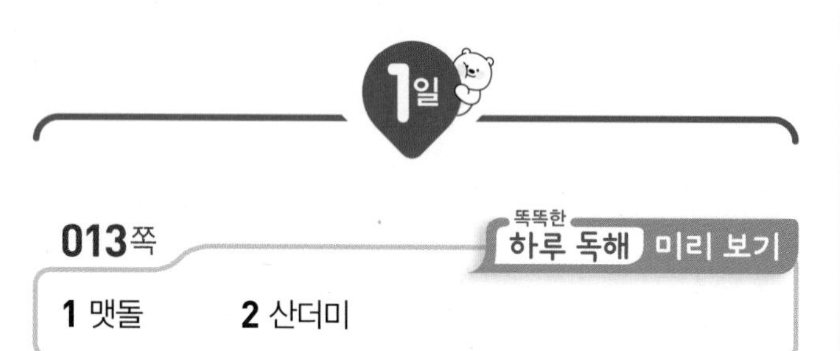

1일

013쪽 똑똑한 하루 독해 미리 보기

1 맷돌　　2 산더미

014쪽~015쪽 똑똑한 하루 독해 

1 (1) ○ 등　　2 ①　　3 소금이 금만큼이나 귀해서
4 ❶ 소금 ❷ 맷돌

1 '만큼'과 '대로'는 앞말에 무엇이 오는지에 따라 띄어 쓰기가 달라집니다. '만큼'과 '대로' 앞에 '금', '말'과 같이 사물의 이름을 나타내는 낱말이 오면 앞말에 붙여 씁니다.

> **더 알아보기**
> 앞말에 사물의 이름을 나타내는 낱말이 아니라 움직임이나 상태를 나타내는 낱말이 오는 경우에는 띄어 씁니다.
> 예 • 결과는 노력한 만큼 되돌아온다.
> • 결과는 노력한 대로 나온다.

2 이 이야기를 통해 욕심을 부리지 말자는 교훈을 얻을 수 있습니다. ④ '바다에서 위험한 행동을 하지 말자.'도 이야기의 내용과 관계는 있지만, 글쓴이가 이 이야기를 통해서 전달하고자 하는 교훈이 아니므로 정답이 아닙니다.

3 욕심쟁이 부자가 맷돌을 돌려 소금이 계속해서 나오게 한 까닭은 옛날에는 소금이 금만큼이나 귀했기 때문에 부자가 되려는 욕심을 부린 것입니다.

> **채점 기준**
> '소금이 금만큼이나 귀해서'라는 말을 넣어 썼으면 정답으로 합니다.

4 이 글에서 일어난 일을 차례에 맞게 정리해 봅니다.

016쪽 똑똑한 하루 독해 어휘

1 잊어버렸다　2 (1) 쟁이 (2) 장이 (3) 장이

1 '잃어버리다'는 '가졌던 물건이 자신도 모르게 없어져 그것을 아주 갖지 않게 되다.'라는 뜻이고, '잊어버리다'는 '기억하여 두어야 할 것을 한순간 전혀 생각하여 내지 못하다.'라는 뜻입니다.

2 '쟁이'는 '어떤 특성이 있는 사람'이라는 뜻을 더하는 말이고, '장이'는 '어떤 기술이 있는 사람'이라는 뜻을 더하는 말입니다.

> **왜 틀렸을까?**
> 고집이 많고 짓궂게 장난을 하는 것은 기술이 아니고 사람의 특성이므로 '쟁이'가 오는 것이 알맞고, 연장을 만드는 것이나 옹기를 만드는 일은 기술에 해당하므로 '장이'가 오는 것이 알맞습니다.

017쪽 똑똑한 하루 독해 게임

을 부리지 마세요!

- 냥이가 한 말에 있는 기호가 각각 어떤 낱자를 뜻하는지 표에서 찾아봅니다. 낱자를 조합하여 보면 '욕심'이라는 낱말이 만들어집니다.

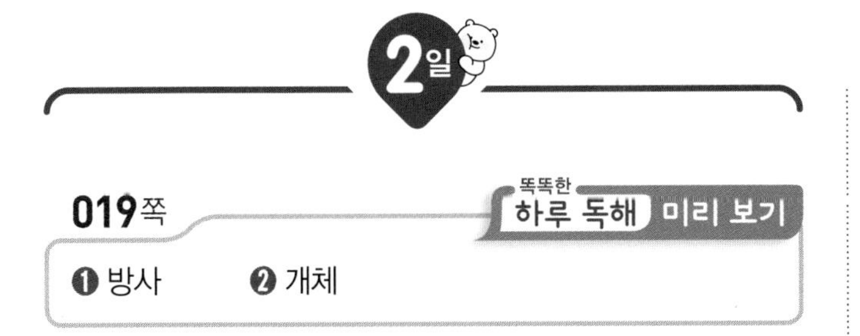

019쪽 똑똑한 하루 독해 미리 보기

❶ 방사 ❷ 개체

020쪽~021쪽 똑똑한 하루 독해

1 ⑤ 2 모기 3 모기만을 골라 공격한다는 점이 다르다. 등 4 ❶ 모기 ❷ 짝짓기

1 ㉠'나아도'는 '알을 낳다.'라는 뜻으로 쓰였으므로 '낳아도'라고 고쳐 써야 합니다.

왜 틀렸을까?

㉠'나아도'는 '병이나 상처 따위가 고쳐져 본래대로 되어도.'라는 뜻으로 기본형은 '낫다'입니다. ①의 '나서도'는 '어떠한 일을 적극적으로 또는 직업적으로 시작하여도.'라는 뜻입니다.

2 이 글은 사람이나 다른 곤충에 해를 끼치지 않고 모기만 골라 죽이는 '착한 모기'가 미국에서 판매될 예정이라는 소식을 알리는 글입니다.

3 기존의 화학 성분 모기약은 나비나 꿀벌 같은 곤충도 함께 죽이지만, '착한 모기'로 모기를 잡는 것은 모기만을 골라 공격하기 때문에 생태계에 미치는 영향이 적다고 하였습니다.

채점 기준

'모기만을 골라 공격한다.'라는 내용이 들어가면 정답으로 합니다.

4 '착한 모기'가 모기를 잡는 방법에 대하여 정리해 봅니다.

왜 틀렸을까?

'착한 모기'가 모기를 잡는 방법

'볼바키아' 세균을 감염시킨 수컷 모기를 방사한다. → 감염된 수컷 모기는 암컷 모기와 짝짓기를 한다. → 암컷 모기가 낳은 알은 염색체에 문제가 있어 부화하지 않는다. → 모기의 개체 수가 줄어든다.

022쪽 똑똑한 하루 독해 어휘

1 (1) 안 (2) 않 2 (2) 구매 (3) 늘어났다

1 '안'은 '아니'의 준말로, 뒤에 나오는 낱말에 대한 행동을 하지 않는다는 뜻으로 쓰입니다. 반대로 '않다'는 앞에 나오는 낱말에 대한 행동을 안 했다는 뜻으로 쓰입니다.

왜 틀렸을까?

(1) 수컷 모기는 사람을 무는 행동을 하지 않는다는 뜻으로 '문다'라는 낱말이 뒤에 나오므로 앞에 '안'이 나와야 합니다.

(2) '착한 모기'와 짝짓기를 해 낳은 알은 '부화하다'라는 행동을 하지 않는다는 뜻이므로 '부화하다' 뒤에 '않다'가 들어가야 합니다.

2 '수컷'과 '암컷', '판매'와 '구매', '줄어들다'와 '늘어나다'는 서로 뜻이 반대인 낱말입니다.

더 알아보기

(1) • **수컷**: 암수의 구별이 있는 동물에서 새끼를 배지 아니하는 쪽.
• **암컷**: 암수의 구별이 있는 동물에서 새끼를 배는 쪽.

(2) • **판매**: 상품 따위를 팖.
• **구매**: 물건 따위를 사들임.

(3) • **줄어들다**: 부피나 분량 따위가 본디보다 작아지거나 짧아지거나 적어지다.
• **늘어나다**: 부피나 분량 따위가 본디보다 커지거나 길어지거나 많아지다.

023쪽 똑똑한 하루 독해 게임

(1) (암컷 , 수컷) 모기가 사람의 피를 빨아 먹는 까닭은 알을 낳기 위한 (2) (장소 , 영양분)이/가 필요해서이다.

○ 암컷 모기는 알을 낳으려면 영양분이 필요하기 때문에 동물의 피가 필요하다고 하였습니다. 그래서 암컷 모기만 사람의 피를 빨아 먹는다고 하였습니다.

1주 정답 및 해설

3일

025쪽 똑똑한 하루 독해 미리 보기

❶ 꼬마 ❷ 거인 ❸ 함께

026쪽~027쪽 똑똑한 하루 독해

1 ⑤ 2 (2) ○

3 | 꼭 | 꼭 | | 누 | 구 | 랑 | | 같 | 이 | | 논 | 다 | . |

4 ❶ 거인 ❷ 물

1 시의 내용에서 '내'가 꼬마도 될 수 있고 거인도 될 수 있고 아파트 벽쯤 단숨에 오를 수 있고 물 위로 벌렁 누울 수 있다고 하였습니다. 또 언제나 '너'를 따라 함께 논다는 점과 시의 제목을 통해서 '내'가 그림자라는 것을 알 수 있습니다.

2 이 시에서는 사람이 아닌 그림자를 사람처럼 표현하는 '의인법'이 사용되었습니다.

더 알아보기

흉내 내는 말이란 사람이나 사물의 소리나 모습을 나타내는 말로, 흉내 내는 말을 사용하면 같은 내용도 재미있고 실감 나게 표현할 수 있습니다.

㉠ 보글보글, 깡충깡충, 흔들흔들

3 낱말과 낱말 사이는 띄어 쓰지만, '은/는', '이/가', '을/를', '랑'과 같은 말은 앞말에 붙여 씁니다.

채점 기준

'꼭꼭 누구랑 같이 논다.'와 같이 띄어 써야 정답입니다.

4 시 「그림자」의 내용을 정리하여 써 봅니다. 그림자인 '나'는 꼬마도 될 수 있고 거인도 될 수 있다고 하였고, 아파트 벽을 단숨에 오를 수도 있고, 물 위에 누울 수도 있으며 언제나 '너'를 따라 함께 논다고 하였습니다.

028쪽 똑똑한 하루 독해 어휘

1 (1) 대인 (2) 소인

2 발랑 3 (1) 늘, 항상 (2) 같이, 더불어

1 '거인'과 뜻이 비슷한 낱말과 뜻이 반대인 낱말을 찾아봅니다.

더 알아보기

- **거인**: 몸이 아주 큰 사람.
- **대인**: 자라서 어른이 된 사람. / 몸이 아주 큰 사람.
- **소인**: 나이가 어린 사람. / 키나 몸집 따위가 작은 사람.
- **성인**: 자라서 어른이 된 사람.

2 큰말과 작은말은 실제 뜻은 같으나 큰말은 표현상 크고, 어둡고, 무겁고, 약하게 느껴지는 말입니다. 반면에 작은말은 느낌이 작고, 가볍고, 밝고, 강하게 들리는 말입니다. 대개 'ㅜ'보다는 'ㅗ', 'ㅓ'보다는 'ㅏ'가 작은 느낌을 줍니다.

더 알아보기

큰말과 작은말의 ㉠

큰말	작은말
설렁설렁	살랑살랑
누렇다	노랗다
물렁물렁	말랑말랑

3 '언제나'와 '함께'의 낱말 뜻을 생각하여 이와 바꾸어 쓸 수 있는 다른 낱말을 찾아봅니다.

더 알아보기

- **가끔, 종종**: 시간적 · 공간적 간격이 얼마쯤씩 있게.
- **때때로**: 경우에 따라서 가끔.
- **홀로**: 자기 혼자서만.
- **더불어**: 둘 이상의 사람이 함께해.
- **외로이**: 홀로 되거나 의지할 곳이 없어 쓸쓸하게.

029쪽 똑똑한 하루 독해 게임

실험 1 물체에 빛을 비추면 그림자는 물체 (1) (앞쪽 , (뒤쪽))에 생겨요.

실험 2 물체가 불빛과 가까워질수록 그림자는 (2) ((커져요), 작아져요).

● 물체에 빛을 비추면 그림자는 물체 뒤쪽에 생기고, 물체가 불빛과 가까워질수록 그림자는 커집니다.

4일

031쪽 똑똑한 하루 독해 미리 보기

❶ 셈 ❷ 발견 ❸ 이상

032쪽~033쪽 똑똑한 하루 독해

1 ⑤ **2** ② **3** 열 개여서 등
4 ❶ 십진법 ❷ 손가락

1 문장이 '때문이야.'로 끝나므로 이 말과 짝이 되는 이어 주는 말을 찾으면 '왜냐하면'입니다.

(더 알아보기)

이어 주는 말의 종류와 쓰임

그리고	앞의 문장에 덧붙이는 내용이 이어질 때
그러나	앞의 문장과 서로 반대되는 문장이 이어질 때
그래서	두 문장이 원인과 결과의 관계로 이어질 때

2 이 글은 우리가 십진법을 쓰게 된 까닭에 대하여 설명하는 글입니다.

3 옛날 사람들은 손가락이 10개이기 때문에 계속 십진법을 사용하게 되었습니다.

채점 기준
'손가락이 열 개여서'라는 내용을 넣어 썼으면 정답으로 합니다.

4 이 글의 중심 내용을 정리해 봅니다. 십진법은 10까지를 한 단위로 하여 한 자리씩 올라갈 때마다 10배씩 커지는 진법으로, 옛날 사람들은 손가락을 접었다 폈다 하며 수를 셌는데 손가락이 열 개여서 십진법을 사용하게 된 것입니다.

034쪽 똑똑한 하루 독해 어휘

1 발견 **2** (1) 이하 (2) 이상

1 '발명'과 '발견'의 뜻을 구분해 보는 문제입니다. 십진법은 미처 찾아내지 못하였거나 아직 알려지지 않은 이치를 터득해 낸 것이므로 '발견'이 오는 것이 알맞습니다.

(더 알아보기)

'발명'과 '발견'의 뜻

- **발명**: 아직까지 없던 기술이나 물건을 새로 생각하여 만들어 냄.
- **발견**: 미처 찾아내지 못하였거나 아직 알려지지 않은 사물이나 현상, 사실 따위를 찾아냄.

2 '이하'는 그 수를 포함하여 그 아래의 수를 말하고, '이상'은 그 수를 포함하여 그 위의 수를 말합니다. (1)은 키가 100센티미터까지만 탈 수 있다고 하였으므로 100센티미터를 포함하여 그보다 작은 사람들만 탈 수 있으므로 빈칸에 '이하'가 오는 것이 알맞습니다. (2)는 135센티미터부터 탈 수 있다고 하였으므로 135센티미터를 포함하여 그보다 키가 큰 사람들만 탈 수 있으므로 빈칸에 '이상'이 오는 것이 알맞습니다.

(더 알아보기)

'이하', '이상'과 함께 헷갈리기 쉬운 낱말에는 '미만', '초과'가 있습니다. '이하'와 '이상'은 그 수를 포함하여 그 수보다 아래이거나 위의 경우를 뜻하지만, '미만'과 '초과'는 그 수를 포함하지 않고 그 수보다 아래이거나 위의 경우를 뜻합니다.

예 4초과 10 미만은 5, 6, 7, 8, 9입니다.

035쪽 똑똑한 하루 독해 게임

(1) ○

숫자 0이 입력된 칸에는 아무것도 칠하지 않고, 숫자 1이 입력된 칸에는 검은색을 칠하면 (1)과 같은 모양의 그림이 나타납니다.

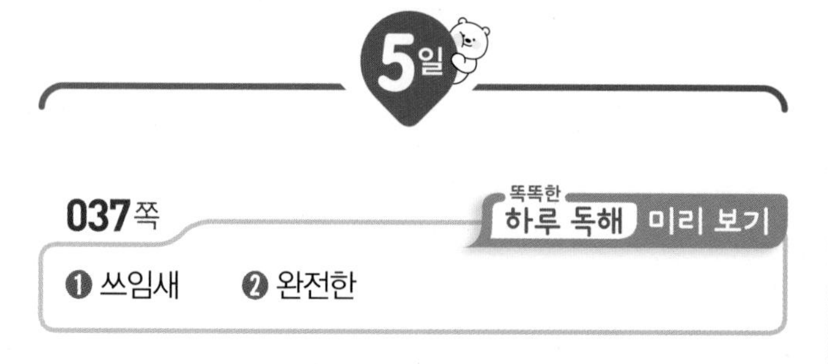

1주 정답 및 해설

5일

037쪽 똑똑한 하루 독해 미리 보기

❶ 쓰임새　❷ 완전한

038쪽~039쪽 똑똑한 하루 독해

1 ③　2 ①　3 친구 하자.
4 ❶ 함께 ❷ 친구

1 '다르다'는 '비교가 되는 두 대상이 서로 같지 않다.'라는 뜻으로, '다르다'와 뜻이 반대인 낱말은 '서로 다르지 않고 하나이다.'라는 뜻의 '같다'입니다.

왜 틀렸을까?

① **틀리다**: 셈이나 사실 따위가 그르게 되거나 어긋나다.
② **옳다**: 사리에 맞고 바르다.
④ **맞다**: 문제에 대한 답이 틀리지 않다.
⑤ **바르다**: 겉으로 보기에 비뚤어지거나 굽은 데가 없다.

2 손가락들은 함께일 때 완전한 힘을 가진다고 하였습니다.

3 손가락들은 우리 친구 하자고 하였습니다.

채점 기준
'친구 하자.'라는 말을 넣어 썼으면 정답으로 합니다.

4 이 광고에서 하고 싶은 말은 나라가 다르고 생긴 모습이 다르더라도 함께 어울리며 서로 존중하는 친구로 지내자는 것입니다.

040쪽 똑똑한 하루 독해 어휘

1 다른　2 ❶ 엄지 ❷ 집게 ❸ 새끼

1 '다른'은 '서로 같지 않은.'이고, '틀린'은 '셈이나 사실 따위가 그르게 되거나 어긋난.'입니다. 손가락은 이름과 쓰임새가 서로 같지 않은 것이지, 그르게 되거나 어긋난 것이 아닙니다. 그러므로 '다른'에 ○표를 해야 정답입니다.

2 손가락 이름에는 엄지손가락, 집게손가락, 가운뎃손가락, 약손가락, 새끼손가락이 있습니다.

더 알아보기

또 다른 손가락의 이름이 있습니다. 엄지손가락은 '대지', 집게손가락은 '검지', 가운뎃손가락은 '중지', 약손가락은 '약지', 새끼손가락은 '소지'라고도 합니다. 여기에서 '-지' 자는 손가락(指)을 뜻하는 한자어이므로, '검지 손가락', '약지 손가락'과 같이 중복하여 말하지 않도록 주의합니다.

041쪽 똑똑한 하루 독해 게임

(2) ○

● 「안녕, 우리 친구 하자」는 나라가 다르고 생긴 모습이 달라도 서로 어울리며 서로 존중하자는 뜻을 전달하고 있습니다. 이 광고와 하고 싶은 말이 비슷한 광고문은 (2)입니다. 얼굴색이 달라도 차별하지 말고 인권을 존중하자는 내용을 전하고 있습니다.

왜 틀렸을까?

(1)은 '장애인에 대한 편견을 갖지 말자.', (3)은 '안전하다고 방심하지 말고 안전사고를 방지하자.', (4)는 '인터넷 검색보다 독서를 더 많이 하자.'라는 의미를 전달하고 있습니다.

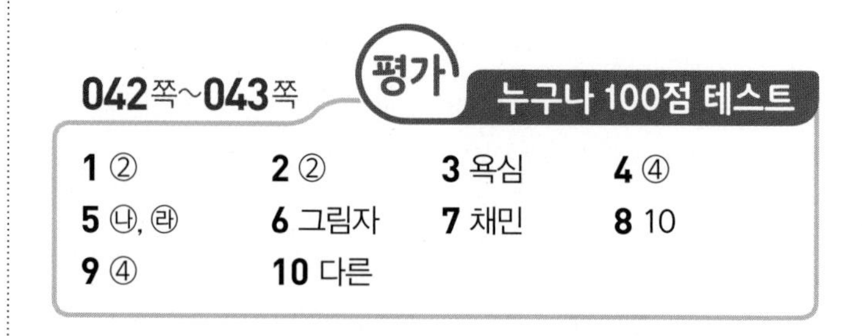

042쪽~043쪽 평가 누구나 100점 테스트

1 ②	2 ②	3 욕심	4 ④
5 ㉯, ㉱	6 그림자	7 채민	8 10
9 ④	10 다른		

1 '어떤 특성이 있는 사람'이라는 뜻을 더할 때에는 '-장이'가 아닌 '-쟁이'를 붙이므로, ㉡은 '욕심쟁이'라고 써야 합니다.

2 옛날에는 소금이 금만큼이나 귀했다고 하였습니다. 그래서 욕심쟁이 부자가 맷돌을 돌려 소금이 나오게 한 것입니다.

3 지나친 욕심을 부리다가 맷돌과 함께 바다에 가라앉은 부자의 이야기에서 '욕심을 부리지 말자.'라는 교훈을 얻을 수 있습니다.

4 이 글은 모기 잡는 '착한 모기'가 어떻게 모기의 수를 줄이는지 설명하는 글입니다.

5 '착한 모기'가 다른 모기를 잡는 방법은 다음과 같습니다. 먼저, 수컷 모기를 '볼바키아'라는 세균에 감염시켜 방사합니다. 그러면 감염된 수컷 모기가 암컷 모기와 짝짓기를 합니다. 암컷 모기가 낳은 알은 염색체에 문제가 있어 부화하지 않습니다. 결국 모기의 개체 수가 줄어들게 됩니다.

6 꼬마도 될 수 있고, 엄청난 거인도 될 수 있으며, 아파트 벽쯤 단숨에 오르고, 물 위로 벌렁 누울 수도 있으며, 항상 누군가를 따라다니는 것은 바로 그림자입니다.

> **더 알아보기**
> 시의 제목을 읽으면 이 시의 중심 글감이 '그림자'라는 것을 더 쉽게 알 수 있습니다.

7 이 시는 사람이 아닌 '그림자'를 수수께끼를 내는 사람인 것처럼 표현하였습니다.

> **더 알아보기**
> '나무가 춤을 춘다'처럼 사람이 아닌 동물, 식물, 사물을 사람처럼 말하고 행동하는 것으로 나타내는 표현 방법을 '의인법'이라고 합니다.

8 손가락은 10개 뿐이어서 사람들은 손가락 10개만 사용해서 수를 나타내기로 했습니다.

9 이 글은 십진법이 어떻게 발견되었는지를 설명하는 글입니다.

10 다섯 손가락의 이름과 쓰임새는 서로 같지 않은 것이지, 그르게 되거나 어긋난 것이 아니므로 '다른'이 알맞습니다.

044쪽~049쪽

1 ❶ 한가운데 ❷ 맷돌 ❸ 이상
2 암컷 모기는 물 웅 덩 이 에 알을 낳습니다.
3 (1) ㉡ (2) ㉠ (3) ㉣ (4) ㉢
4 (1) 먹는 (2) 먹고 나서 (3) 먹어
5 (1) ① 견 학 ② 견 문
(2) 見 物 生 心

1 1주에서 배운 낱말을 떠올리며 빈칸에 알맞은 답을 씁니다.

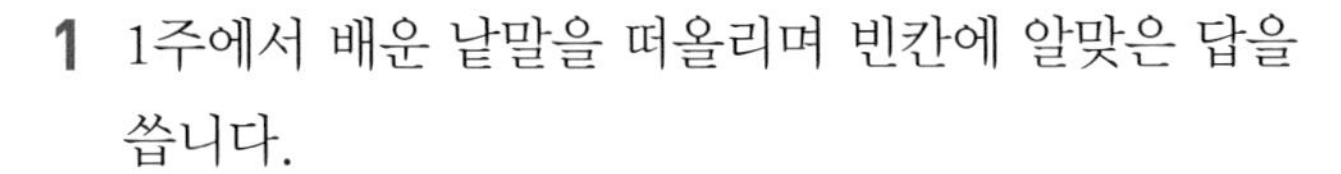

2 다음 그림처럼 잠자리나 거미를 피해 코딩을 따라 이동한 모기는 물웅덩이에 도착해 알을 낳았을 것입니다.

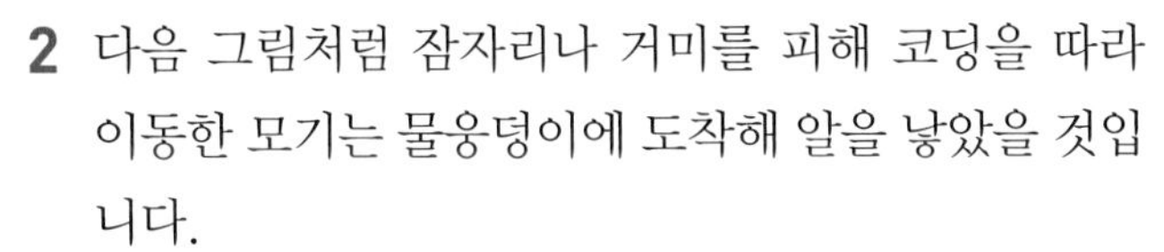

3 그림자를 통해 아라가 쌓은 도형의 순서를 알 수 있습니다. 아라는 아래에서부터 노란색 정사각형, 파란색 사각형, 초록색 직사각형, 주황색 동그라미 순서로 도형을 쌓았습니다.

4 '내복약'은 '먹는 약.'이라는 뜻이고, '식사 후'는 '식사를 한 뒤나 다음.'이라는 뜻입니다. 그리고 '복용'은 '약을 먹음.'이라는 뜻입니다.

5 (1) ① 見學(견학): 실지로 보고 그 일에 관한 구체적인 지식을 넓힘.
② 見聞(견문): 보거나 듣거나 하여 깨달아 얻은 지식.
(2) 빈칸에 들어갈 말은 見(볼 견) 자입니다.

2주 정답 및 해설

052쪽~053쪽 이번 주에는 무엇을 공부할까? ❷

1-1 볼품　　1-2 나리
2-1 식후　　2-2 (2) ○

1-1~1-2 '겉으로 드러나 보이는 모습.'이라는 뜻의 '볼품'이 알맞게 사용된 문장을 찾아봅니다.

2-1 밥을 먹은 뒤에 양치질을 해야 된다고 했으므로 '식후'에 양치질을 해야 합니다. '식전'은 '밥을 먹기 전.'이라는 뜻입니다.

2-2 '식후'는 '밥을 먹은 뒤.'라는 뜻이므로 봄이는 밥을 먹은 뒤에 감기약을 먹어야 합니다.

1일

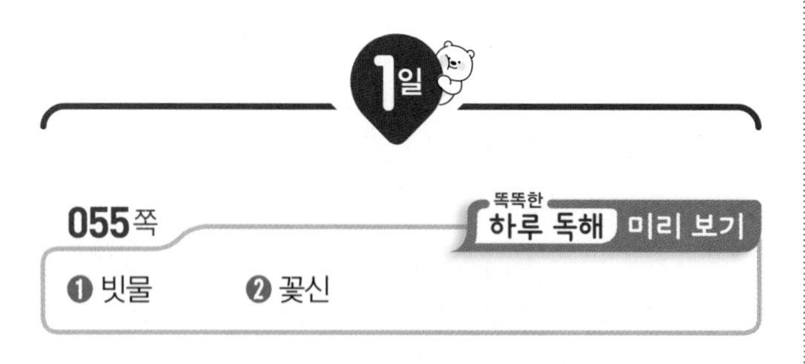

055쪽 똑똑한 하루 독해 미리 보기

❶ 빗물　　❷ 꽃신

056쪽~057쪽 똑똑한 하루 독해

1 ③　　2 ①　　3 남을 위해 무슨 일인가 할 때 등
4 ❶ 빗물 ❷ 행복

1 꽃신은 빗물들이 행복해지는 것이 자신의 꿈이라고 말했습니다.

2 '이럴 수도 없고 저럴 수도 없어 몸가짐이나 행동을 취하기 곤란하다.'라는 뜻의 '난처하다'와 뜻이 비슷한 낱말은 '난감하다'입니다.

왜 틀렸을까?

② **용감했습니다**: 용기가 있으며 씩씩하고 기운찼습니다.
③ **실감했습니다**: 실제로 어떤 일을 겪는 듯한 느낌을 받았습니다.
④ **예감했습니다**: 어떤 일이 일어날지 미리 느꼈습니다.
⑤ **민감했습니다**: 자극에 빠르게 반응을 보이거나 쉽게 영향을 받는 데가 있었습니다.

3 빗물 밑에 조용히 있던 작은 풀잎은 행복이란 남을 위해 무슨 일인가 할 때 생기는 것이라고 하였습니다.

채점 기준
행복이란 남을 위해 무슨 일인가 할 때 생기는 것이라는 내용이 들어가 있으면 정답으로 합니다.

4 꽃신의 말과 풀잎의 말을 잘 정리하여 빈칸에 알맞은 말을 각각 써 봅니다.

058쪽 똑똑한 하루 독해 어휘

1 (1) 빗물 (2) 햇빛 (3) 이슬비　　2 (1) 소낙비 (2) 여우비

1 (1) '비'와 '물'을 더해 한 낱말을 만들 때에는 두 글자 사이에 'ㅅ'을 넣어 '빗물'이라고 써야 합니다.
(2) '해'와 '빛'을 더해 한 낱말을 만들 때에는 두 글자 사이에 'ㅅ'을 넣어 '햇빛'이라고 써야 합니다.

2 (1) 갑자기 무섭게 내리다 이내 그친 비에 어울리는 낱말은 '소낙비'입니다.
(2) 쨍쨍한 하늘에서 잠시 내리는 비에 어울리는 낱말은 '여우비'입니다.
(3) 가늘게 내리는 비에 어울리는 낱말은 '이슬비'입니다.

더 알아보기

비의 종류를 나타내는 말 더 알아보기 ㉮

- **부슬비**: 부슬부슬 내리는 비.
- **실비**: 실같이 가늘게 내리는 비.
- **바람비**: 바람과 더불어 몰아치는 비.
- **장대비**: 장대처럼 굵고 거세게 좍좍 내리는 비.
- **안개비**: 내리는 빗줄기가 매우 가늘어서 안개처럼 부옇게 보이는 비.

059쪽 똑똑한 하루 독해 게임

❶ 수증기　　❷ 구름　　❸ 눈

● 물은 땅과 식물, 호수나 바다 등에서 증발해 수증기가 되고, 하늘 높이 올라간 수증기는 엉기어 뭉쳐서 구름이 됩니다. 구름이 비나 눈이 되어 다시 땅으로 떨어지고, 땅으로 떨어진 물은 땅속으로 스며들거나 바다로 흘러가는 등 다시 이곳저곳으로 가게 됩니다.

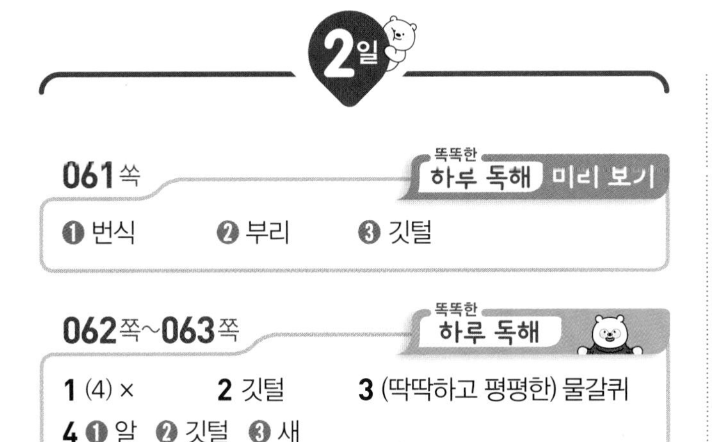

2일

061쪽 똑똑한 하루 독해 미리 보기

❶ 번식 ❷ 부리 ❸ 깃털

062쪽~063쪽 똑똑한 하루 독해

1 (4) × **2** 깃털 **3** (딱딱하고 평평한) 물갈퀴
4 ❶ 알 ❷ 깃털 ❸ 새

1 네 번째 문단의 중심 문장은 '이러한 여러 가지 특징을 보면 펭귄은 새라는 것을 알 수 있어.'입니다. 중심 문장이 늘 문단 첫머리에 나오는 것은 아닙니다.

더 알아보기

문단, 중심 문장, 뒷받침 문장 알기

- **문단**: 문장이 몇 개 모여 한 가지 생각을 나타내는 것
- **중심 문장**: 문단 내용을 대표하는 문장
- **뒷받침 문장**: 중심 문장을 덧붙여 설명하거나 예를 드는 방법으로 도와주는 문장

2 새는 온몸이 깃털로 덮여 있어 체온을 유지할 수 있습니다.

3 펭귄이 하늘을 날지 못하는 까닭은 물속에서 오래 생활하면서 날개가 딱딱하고 평평한 물갈퀴로 변했기 때문입니다. 따라서 펭귄은 날개를 하늘을 날 때 이용하는 것이 아니라 헤엄칠 때나 몸의 균형을 잡기 위해 이용한다고 했습니다.

채점 기준

물갈퀴로 변했다는 내용으로 답을 썼으면 정답으로 합니다.

4 각 문단의 중심 문장을 파악하여 펭귄은 새와 같은 특징을 가지고 있으므로 새라는 것이 잘 나타나게 내용을 정리하여 봅니다.

더 알아보기

펭귄이 새라는 것을 알 수 있는 특징 정리하기

- 알을 낳아 번식한다.
- 부리와 날개가 있다.
- 온몸이 깃털로 덮여 있다.

064쪽 똑똑한 하루 독해 어휘

1 (1) 껍데기 (2) 껍질
2 (1) 낫다 (2) 낮다 (3) 낳았다

1 알의 겉을 싸고 있는 단단한 물질을 '껍데기'라고 하고, 포도를 싸고 있는 단단하지 않은 물질을 '껍질'이라고 합니다.

더 알아보기

껍데기, 껍질 더 구분해 보기 ㉎

껍데기		껍질	
▲ 호두	▲ 조개	▲ 사과	▲ 귤

2 그림과 문장에 알맞은 낱말을 찾아봅니다.

왜 틀렸을까?

(1): 어떤 옷을 입을까 고르는 상황으로, 어떤 것이 다른 것보다 더 좋다는 뜻의 '낫다'가 알맞습니다.
(2): 하나는 높고 하나는 낮은 산의 모습으로, 높이나 소리가 아래에 있다는 뜻의 '낮다'가 알맞습니다.
(3): 돼지가 새끼를 낳은 모습으로, 새끼를 '낳다'가 알맞습니다.

065쪽 똑똑한 하루 독해 게임

◉ 찾아야 할 그림들이 각각 어디에 숨어 있는지 살펴봅니다.

3일

067쪽 똑똑한 하루 독해 미리 보기

❶ 양철　❷ 모험

068쪽~069쪽 똑똑한 하루 독해

1 ⑤　2 어떤 소원이든 들어준다. 등　3 ❶ 사자 ❷ 허수아비 ❸ 양철

1 ㉠과 같이 무엇을 하도록 시키는 문장은 ⑤입니다.

왜 틀렸을까?

①: 함께하기를 요청하는 문장입니다.
②: 느낌을 표현하는 문장입니다.
③: 설명하는 문장입니다.
④: 무엇인가를 묻는 문장입니다.

2 앞이야기에서 도로시는 어떤 소원이든 들어준다는 오즈의 마법사를 찾아 모험을 떠났다는 내용이 나옵니다.

채점 기준

어떤 소원이든 들어준다는 내용이 들어가게 답을 썼으면 정답으로 합니다.

3 이 이야기의 등장인물과 등장인물의 소원이 무엇인지 각각 정리해 봅니다.

더 알아보기

소원을 알 수 있는 등장인물의 말

- **사자**: 나도 너와 함께 오즈의 마법사님께 가서 용기를 얻고 싶어.
- **허수아비**: 나는 생각할 수 있는 뇌를 갖고 싶어.
- **양철 나무꾼**: 나는 사랑을 할 수 있는 심장을 갖고 싶어.

070쪽 똑똑한 하루 독해 어휘

1 (1) ○　2 회오리바람　3 모험

1 양철로 만들어진 지붕은 (1)입니다.

왜 틀렸을까?

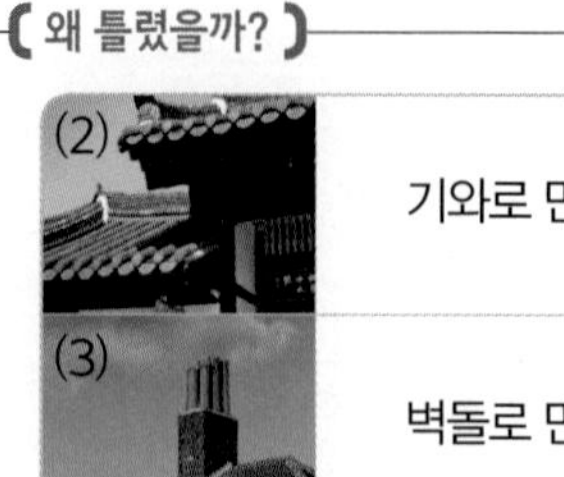

(2) 기와로 만들어진 지붕입니다.
(3) 벽돌로 만들어진 지붕입니다.

2 도로시와 토토는 빠르게 빙빙 돌면서 세차게 올라가는 바람인 회오리바람에 휘말려 빙글빙글 돌며 떠올랐습니다.

더 알아보기

'산들바람'은 '시원하고 가볍게 부는 바람.'을 뜻합니다.

3 공통으로 들어갈 낱말은 '위험을 참고 견디며 어떠한 일을 함. 또는 그 일.'이라는 뜻의 '모험'입니다.

왜 틀렸을까?

'체험'은 '어떤 일을 실제로 보고 듣고 겪음.'이라는 뜻의 낱말입니다. 그런데 위험, 어려움, 실패 등을 참고 견딘다는 뜻은 포함하고 있지 않기 때문에 답이 될 수 없습니다.

071쪽 똑똑한 하루 독해 게임

화살표를 따라 길을 가면 사자, 허수아비, 양철 나무꾼을 순서대로 만날 수 있습니다.

4일

073쪽 똑똑한 하루 독해 미리 보기

❶ 민속놀이 ❷ 비롯되다 ❸ 강강술래

074쪽~075쪽 똑똑한 하루 독해

1 ③ 2 여자들에게 남자 옷을 입혀 빙빙 돌게 했다 등 3 (1) 느리게 (2) 빨라진다 4 ❶ 손 ❷ 강강술래

1 '추석'은 다른 말로 '한가위'라고 합니다. '한가위'의 '한'은 '크다'라는 뜻이고, '가위'는 '가운데'라는 뜻으로, '한가위'란 '8월의 한가운데에 있는 큰 날.'이라는 뜻입니다.

왜 틀렸을까?

① **설날**: 음력 정월 초하룻날로 한 해의 첫날을 말합니다.
② **단오**: 음력 5월 5일로, 단오떡을 해 먹고 여자는 창포물에 머리를 감고 그네를 뛰며 남자는 씨름을 합니다.
④ **대보름**: '가장 큰 보름'이라는 뜻으로 음력 1월 15일을 말합니다.
⑤ **수릿날**: '단오'의 다른 말입니다.

2 강강술래는 이순신 장군이 일본이 쳐들어오는 것을 감시하려고 불을 피워 놓고 춤을 추게 하면서부터 시작되었습니다. 또 이순신 장군이 우리 군사가 많아 보이게 하려고 여자들에게 남자 옷을 입혀 빙빙 돌게 했다는 데에서 비롯되었다고도 합니다.

채점 기준
'여자들에게 남자 옷을 입혀 빙빙 돌게 했다'라는 내용을 넣어 썼으면 정답으로 합니다.

3 강강술래는 처음에는 느리게 시작하다가 조금씩 빨라져서, 나중에는 노래도 움직임도 숨이 찰 만큼 빨라진다고 하였습니다.

4 강강술래는 먼저 손을 잡고 둥글게 선 다음, 한 사람이 먼저 노래를 부릅니다. 다음에 나머지 사람들이 "강강술래!" 하고 후렴을 따라 하며 점점 빠르게 빙글빙글 돕니다.

076쪽 똑똑한 하루 독해 어휘

1 (1) 감시 (2) 후렴 2 맞추며 3 민속놀이

1 '단속하기 위하여 주의 깊게 살핌.'은 '감시'의 뜻이고, '노래 곡조 끝에 붙여 같은 가락으로 되풀이하여 부르는 짧은 몇 마디의 가사.'는 '후렴'의 뜻에 해당합니다.

왜 틀렸을까?

• **군사**: 예전에, 군인이나 군대를 이르던 말입니다.
• **추석**: 우리나라 명절의 하나. 음력 팔월 보름날입니다. 햅쌀로 송편을 빚고 햇과일 따위의 음식을 장만하여 차례를 지냅니다.

2 '마치다'는 '어떤 일이나 과정, 절차 따위가 끝나다.', '맞추다'는 '서로 어긋남이 없이 조화를 이루다.'라는 뜻입니다. 강강술래를 하는 사람들은 발과 노래가 어긋남이 없이 조화를 이루어야 하므로 '맞추다'가 들어가는 것이 알맞습니다.

3 '강강술래', '널뛰기', '팽이치기'는 모두 옛날부터 전해 내려오는 우리 고유의 민속놀이입니다.

077쪽 똑똑한 하루 독해 게임

강강술래는 모두 손을 잡고 둥글게 선 다음 빙글빙글 돈다고 하였습니다. 길을 따라 강강술래를 하는 곳까지 선으로 이어 봅니다.

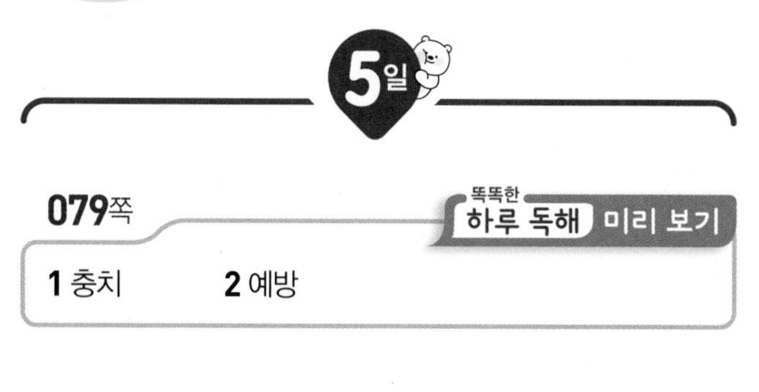

5일

079쪽 똑똑한 하루 독해 미리 보기

1 충치　2 예방

080쪽~081쪽 똑똑한 하루 독해

1 ③　2 충치를 예방 등　3 (2) ○
4 ❶ 아래　❷ 앞뒤

1 이 글의 제목인 「양치질을 바르게 해요」와 그림의 내용으로 보아 양치질하는 방법, 즉 이를 닦는 방법을 알려 주고 있는 글입니다.

2 '충치를 예방하려면 하루에 3회, 식후 3분 이내에 3분 이상 양치질을 해야 합니다.'라는 문장으로 보아 충치를 예방하기 위해 양치질을 한다는 것을 알 수 있습니다.

채점 기준
충치를 예방한다는 내용을 뒤의 말과 잘 이어지게 썼으면 정답으로 합니다.

3 혀를 안쪽에서 바깥쪽으로 닦는 그림은 (2)입니다.

왜 틀렸을까?
(1): 화살표의 방향으로 보아 혀를 바깥쪽에서 안쪽으로 닦는 그림입니다.

4 ①과 ②에 윗니와 아랫니를 닦는 방법이 설명되어 있고, ③과 ④에 어금니를 닦는 방법이 설명되어 있습니다. 윗니는 위에서 아래로 닦고, 어금니의 씹는 면은 앞뒤로 닦아야 합니다.

082쪽 똑똑한 하루 독해 어휘

1 (1) 식전　(2) 바깥쪽
2 (1) 앞니　(2) 송곳니　(3) 어금니

1 (1) '식후'는 '밥을 먹은 뒤.'라는 뜻이고, '식전'은 '밥을 먹기 전.'이라는 뜻이므로 서로 뜻이 반대인 말입니다.
(2) '안쪽'은 '안으로 향한 부분이나 안에 있는 부분.'이라는 뜻이고, '바깥쪽'은 '바깥으로 향하는 쪽.'이라는 뜻이므로 서로 뜻이 반대인 말입니다.

2 (1) 앞쪽으로 아래위에 각각 네 개씩 나 있는 이를 '앞니'라고 부릅니다.
(2) 앞니와 어금니 사이에 있는 뾰족한 이를 '송곳니'라고 부릅니다.
(3) 안쪽에 있는 큰 이를 '어금니'라고 부릅니다.

083쪽 똑똑한 하루 독해 게임

양치질을 할 때 필요한 도구는 (1) ㉠, ㉥ 이므로, 이 두 가지를 모두 사려면 (2) 5300 원이 필요하다.

◎ 양치질을 할 때 필요한 도구는 ㉠'칫솔'과 ㉥'치약'입니다. 칫솔은 1800원이고 치약은 3500원이므로, 칫솔과 치약을 모두 사려면 5300원이 필요합니다. 이 계산을 식으로 나타내면 다음과 같습니다.

1800 + 3500 = 5300

왜 틀렸을까?
㉡'케이크'와 ㉣'감자칩'은 이빨을 썩게 만드는 간식거리입니다. ㉢'비누'는 손을 닦는 데 쓰는 것이고, ㉤'샴푸'는 머리를 감는 데 쓰는 것이므로 양치질을 할 때 필요한 도구가 아닙니다.

084쪽~085쪽 평가 누구나 100점 테스트

1 ②　2 남　3 ㉢　4 (2) ×
5 새이다　6 오즈의 마법사
7 (1) ③　(2) ②　(3) ①　8 추석　9 (2) ×
10 유솔

1 ㉡'조용이'를 '조용히'로 고쳐 써야 합니다.

2 풀잎은 행복이란 남을 위해 무슨 일인가 할 때 생기는 것이라고 하였습니다.

3 문단을 대표하는 문장을 중심 문장이라고 합니다. ㉠과 ㉡이 각 문단의 중심 문장입니다.

> **더 알아보기**
> 각 문단에서 중심 문장을 찾으면 글에서 설명하는 중요한 내용이 무엇인지 알 수 있습니다.

4 펭귄은 날개를 가지고 있어 날개를 펼친 모습을 종종 볼 수 있습니다.

5 새는 알을 낳아 번식하는데 펭귄도 새끼가 아닌 알을 낳고, 펭귄은 새의 특징인 부리와 날개를 가지고 있으므로 펭귄은 새입니다.

6 사자, 허수아비, 양철 나무꾼은 오즈의 마법사를 찾아가고 있습니다.

7 이 글의 등장인물들은 오즈의 마법사에게 빌고 싶은 소원을 한 가지씩 가지고 있습니다. 겁쟁이 사자는 용기를 얻고 싶다고 하였고, 허수아비는 바보라고 놀림받기 싫어 생각할 수 있는 뇌를 갖고 싶다고 하였습니다. 양철 나무꾼은 사랑을 할 수 있는 심장을 갖고 싶다고 하였습니다.

> **더 알아보기**
> 사자, 허수아비, 양철 나무꾼이 찾아가고 있는 오즈의 마법사는 어떤 소원이든지 들어줄 수 있는 능력을 가지고 있습니다.

8 글의 처음 부분에서, '한가위'는 추석을 부르는 말이라고 하였습니다.

> **더 알아보기**
> 추석에는 그 어느 때보다도 크고 둥근 달이 뜹니다.

9 강강술래는 환한 달밤에 여자들이 손을 잡고 둥글게 서서 빙글빙글 돌면서 노래를 부르며 하는 놀이이고, 우리나라 남쪽 바닷가 지역에서 전해 내려오는 민속놀이입니다.

10 강강술래는 손에 손을 잡고 둥글게 선 다음, 한 사람이 노래를 부르면 나머지 사람들이 "강강술래!" 하고 후렴을 따라 하며 점점 빠르게 빙글빙글 도는 놀이입니다.

086쪽~091쪽

1 ❶ 습도 ❷ 빈속놀이 ❸ 후렴
2 (2) ○ **3** (1) ○ **4** (1) 후보 (2) 약속
5 (1) ① 자 동 ② 자 신
(2) 自 信 滿 滿

1 2주에서 배운 낱말을 떠올리며 알맞은 답을 씁니다.

2 펭귄이 있는 곳까지 도착하기 위해서는 '→ 방향으로 1칸 움직이기, ↓ 방향으로 1칸 움직이기'를 세 번 반복합니다. 코딩 명령에 따라 움직이면 다음과 같습니다.

3 밥을 먹은 뒤 3분 이내에 양치질을 해야 합니다. 식사를 마친 시간이 1시 7분이므로, 1시 10분에 양치질을 하고 있는 그림 (1)이 답이 됩니다.

4 '후보'는 '선거에서, 어떤 역할이나 신분 등을 얻으려고 일정한 자격을 갖추어 나섬. 또는 그런 사람.'이라는 뜻이고, '공약'은 '선거에 나간 후보자 등이 어떤 일에 대하여 국민에게 실행할 것을 약속함.'이라는 뜻입니다.

5 (1) ① 自動(자동): 기계 등이 일정한 장치에 의해 스스로 작동함.
② 自信(자신): 어떤 일을 해낼 수 있다거나 어떤 일이 꼭 그렇게 되리라는 데 대하여 스스로 굳게 믿음.
(2) 빈칸에 들어갈 한자는 自(스스로 자) 자입니다.

3주 정답 및 해설

094쪽~095쪽 3주에는 무엇을 공부할까? ❷

1-1 (1) ○	**1-2** 의상
2-1 밤 열두 시	**2-2** 자정

1-1 '의상'은 '겉에 입는 옷.'이라는 뜻입니다. '우리나라의 고유한 옷.'은 '한복'의 뜻이고, '맨발에 신도록 실로 짠 것.'은 '양말'의 뜻입니다.

1-2 옷 가게에 진열되어 있고, 엄마께서 입으실 만한 것은 '의상'입니다.

2-1 '자정'은 '밤 열두 시.'라는 뜻입니다. '낮 열두 시.'는 '정오'의 뜻입니다.

2-2 '밤 열두 시.'라는 뜻을 가진 '자정'과 바꾸어 쓸 수 있습니다.

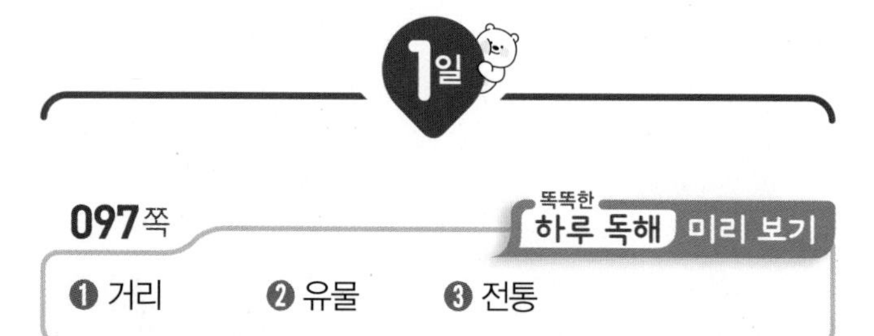

097쪽 똑똑한 하루 독해 미리 보기

❶ 거리 ❷ 유물 ❸ 전통

098쪽~099쪽 똑똑한 하루 독해

1 ④	**2** 아버지께서 추천해 주신 여행 장소 등
3 ②	**4** ❶ 인형 ❷ 특색 ❸ 치파오

1 글쓴이는 지난 주말에 가족들과 함께 인천에 있는 차이나타운을 다녀왔다고 했습니다.

2 첫 문단의 두 번째 문장에 글쓴이가 여행을 한 까닭이나 목적이 나타나 있습니다.

> **채점 기준**
> '아버지께서 추천해 주신 여행 장소'라는 내용으로 썼으면 정답으로 합니다.

3 ㉠에는 '지나는 길에 잠깐 들어가 머무른.'이라는 뜻의 '들른'이 들어가야 알맞습니다.

4 한중 문화관에서 보고 듣고 생각하거나 느낀 것은 두 번째, 세 번째 문단에 잘 나타나 있습니다.

100쪽 똑똑한 하루 독해 어휘

1 (1) 어머니께서 (2) 설명하시는
2 (1) ③ (2) ① (3) ②

1 어머니를 높여야 하므로 '어머니가'가 아니라 '어머니께서'가 들어가야 하고, '설명하는'이 아니라 '설명하시는'이 들어가야 합니다.

> **더 알아보기**
> **높임 표현을 사용하는 방법**
> • '-습니다' 또는 '요'를 써서 문장을 끝맺습니다.
> 예 선생님, 여기에 책이 있어요.
> • 높임을 나타내는 '-시-'를 넣습니다.
> 예 선생님께서 지나가신다.
> • 높임의 대상에게 '께서'나 '께'를 사용합니다.
> 예 할아버지께 편지를 썼다.
> • 높임의 뜻이 있는 특별한 낱말을 사용합니다.
> 예 할아버지, 진지 잡수세요.

2 (1) '평소'는 '특별한 일이 없는 보통 때.'라는 뜻으로, '평상시'와 뜻이 비슷한 말입니다.
(2) '종종'은 '시간적·공간적 간격이 얼마쯤씩 있게.'라는 뜻으로, '가끔'과 뜻이 비슷한 말입니다.
(3) '특색'은 '보통의 것과 다른 점.'이라는 뜻으로, '특징'과 뜻이 비슷한 말입니다.

101쪽 똑똑한 하루 독해 게임

(1) 2 (2) 1

(1) 한중 문화관에 도착하여 관람한 시간은 오전 9시부터 11시까지이므로 2시간이 걸렸음을 알 수 있습니다. 이것을 식으로 나타내면 다음과 같습니다.

11 − 9 = 2

(2) 짜장면 박물관으로 이동하여 관람한 시간은 오전 11시부터 오후 12시까지이므로 1시간이 걸렸음을 알 수 있습니다. 이것을 식으로 나타내면 다음과 같습니다.

12 − 11 = 1

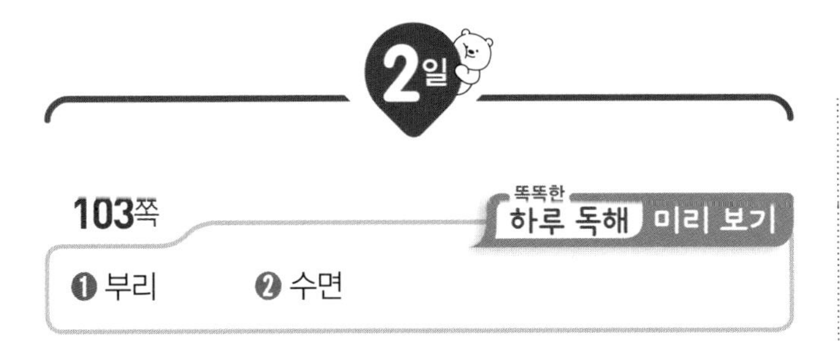

103쪽 똑똑한 하루 독해 미리 보기

❶ 부리 ❷ 수면

104쪽~105쪽 똑똑한 하루 독해

1 ③ 2 위로 휘었기 등 3 (2) ○
4 ❶ 먹이 ❷ 위 ❸ 곡식

1 이 글에서 가장 중요한 낱말을 찾기 위해서는 가장 많이 나오는 낱말을 찾아보거나 글의 제목을 살펴보면 됩니다. 「새의 부리」라는 제목에 '부리'가 나타나 있고, 글에서도 '부리'가 가장 많이 나오므로 가장 중요한 낱말은 '부리'입니다.

2 '뒷부리장다리물떼새'는 부리가 위로 휘었기 때문에 물의 바닥에 부리가 부딪혀도 부러질 염려가 없습니다.

채점 기준
위로 휘었다는 내용을 앞뒤 말에 잘 이어지게 썼으면 정답으로 합니다.

3 육식을 하는 새는 날카롭게 휘어진 부리를 가졌다고 하였으므로, 날카롭게 휘어진 모양인 '갈고리'가 들어가야 알맞습니다.

왜 틀렸을까?
(1): '압정'은 침 부분이 날카롭게 생기기는 하였지만 휘어진 모양은 아니므로 날카롭게 휘어진 부리와 어울리지 않습니다.
(3): '용수철'은 휘어진 모양이기는 하지만 날카롭게 생기지는 않았으므로 날카롭게 휘어진 부리와 어울리지 않습니다.

4 이 글에서는 새의 부리는 먹이에 따라 다양한 모습을 하고 있다는 내용을 설명하고 있습니다. 수면을 찔러 물고기를 잡아먹는 새는 부리가 위로 휘었고, 딱딱한 곡식을 먹는 새는 부리가 짧고 단단하며, 육식을 하는 새는 부리가 매우 튼튼하고 날카롭게 휘어졌습니다.

106쪽 똑똑한 하루 독해 어휘

1 (1) ③ (2) ② (3) ① 2 그래서

1 (1) '위'는 '아래'와 뜻이 반대인 말입니다.
(2) '얕은'은 '깊은'과 뜻이 반대인 말입니다.
(3) '짧고'는 '길고'와 뜻이 반대인 말입니다.

2 '뒷부리장다리물떼새는 부리가 위로 휘었다.'는 원인이고, '물의 바닥에 부리가 부딪혀도 부러질 염려가 없다.'는 결과입니다. 따라서 이 두 문장을 이어 주는 말로는 '그래서'가 들어가야 알맞습니다.

왜 틀렸을까?
'왜냐하면'을 사용하여 원인과 결과가 나타난 문장을 만들려면 '뒷부리장다리물떼새는 물의 바닥에 부리가 부딪혀도 부러질 염려가 없다. 왜냐하면 부리가 위로 휘었기 때문이다.'와 같은 문장이 되어야 알맞습니다.

107쪽 똑똑한 하루 독해 게임

○ 짧고 단단한 부리를 가진 새는 곡식을 먹습니다. 날카롭게 휘어진 부리를 가진 새는 고기를 먹습니다. 위로 휘어진 부리를 가진 새는 물고기를 먹습니다.

3일

109쪽 — 똑똑한 하루 독해 미리 보기

❶ 꽃밭 ❷ 한창

110쪽~111쪽 — 똑똑한 하루 독해

1 ②, ③, ④ 2 ② 3 (날 보고) 꽃같이
4 ❶ 꽃밭 ❷ 생각 ❸ 아빠

1 1연에서 아빠하고 나하고 만든 꽃밭에 채송화와 봉숭아가 한창이고, 아빠가 매어 놓은 새끼줄 따라 나팔꽃도 어울리게 피었다고 하였습니다.

2 '하고'와 같이 무엇을 함께 함을 나타내는 말은 '과'입니다. '애들과 재밌게 뛰어놀다가'라고 쓰면 자연스럽습니다. '애들가', '애들는', '애들와'는 자연스러운 표현이 아닙니다.

3 2연의 '아빠는 꽃 보며 살자 그랬죠 / 날 보고 꽃같이 살자 그랬죠.'를 보고 아빠가 '나'에게 어떻게 살자고 말하였는지 알 수 있습니다.

채점 기준
'날 보고 꽃같이'와 같이 2연의 마지막 행의 내용으로 썼으면 정답으로 합니다.

4 1연을 통하여 '내'가 아빠하고 꽃밭을 만들었다는 것을 알 수 있습니다. 2연을 통하여 '내'가 아빠 생각이 나면 꽃밭에 핀 꽃을 본다는 것을 알 수 있습니다. 이를 바탕으로 '내'가 꽃밭을 함께 만들었던 아빠를 그리워하고 사랑하는 마음을 가지고 있다는 것을 알 수 있습니다.

더 알아보기

시에 나타난 인물의 마음을 알아보는 방법
- 시에 나타난 인물의 상황을 살펴보고 인물의 마음을 생각해 봅니다.
- 시에 나타난 인물과 비슷한 경험을 떠올려 보고 그때의 마음을 생각해 봅니다.

112쪽 — 똑똑한 하루 독해 어휘

1 (1) 채송화(나팔꽃) (2) 나팔꽃(채송화) 2 매어

1 '꽃'에 포함되는 말을 찾아야 하므로, 빈칸에는 꽃의 종류나 이름을 나타내는 말이 들어가야 알맞습니다. 따라서 '채송화'와 '나팔꽃'이 빈칸에 들어가야 합니다.

왜 틀렸을까?
아빠와 새끼줄은 꽃의 종류나 이름을 나타내는 말이 아니므로 '꽃'에 포함되는 말이 아닙니다.

2 아빠는 나팔꽃이 자랄 수 있도록 새끼줄을 가로걸거나 드리워 놓은 것입니다. 따라서 빈칸에는 '매어'가 들어가야 알맞습니다.

왜 틀렸을까?
'메어'는 '무거운 배낭을 메어 어깨가 아팠다.'와 같이 쓰이는 말입니다.

113쪽 — 똑똑한 하루 독해 게임

나팔꽃은 줄기가 버팀목을 (1) (감아, 피해) 올라가는 덩굴 식물이기 때문에 새끼줄과 같은 버팀목이 (2) (없어야, 있어야) 잘 자랄 수 있다.

○ 자료에서 나팔꽃의 특징에 대하여 설명한 내용 중 중요한 내용이 무엇인지 찾아봅니다. 자료를 보고 나팔꽃은 줄기가 버팀목을 감아 올라가는 덩굴 식물이기 때문에 새끼줄과 같은 버팀목이 있어야 잘 자랄 수 있다는 것을 알 수 있습니다.

더 알아보기

나팔꽃의 특징
- 꽃이 푸른색을 띤 자주색, 흰색, 붉은색 등 여러 가지 색이고, 꽃잎 전체는 나팔 모양과 비슷합니다.
- 줄기가 길쭉하여 곧게 서지 않고 다른 물건을 감거나 거기에 붙어서 자랍니다.
- 줄기에 잔털이 있어서 버팀목을 감아 올라갈 때 미끄러지지 않습니다.

115쪽

똑똑한 하루 독해 미리 보기

1 신성한　2 특별한

116쪽~117쪽

똑똑한 하루 독해

1 (1) 고주몽 (2) 박혁거세 (3) 김수로　2 연결해 주는 신성한 존재 등　3 ①　4 ❶ 알 ❷ 왕

1 '고구려를 세운 고주몽, 신라를 세운 박혁거세, 가야의 김수로는 모두 알에서 태어났다고 해.'에서 각 나라를 세운 왕의 이름을 찾을 수 있습니다.

2 옛날 사람들은 하늘을 나는 새가 하늘과 땅을 연결해 주는 신성한 존재라고 여겼습니다.

채점 기준
'연결해 주는 신성한 존재'라는 내용으로 썼으면 정답으로 합니다.

3 '마치'는 '처럼', '듯', '듯이' 따위가 붙은 낱말이나 '같다', '양하다' 따위와 함께 쓰여 '거의 비슷하게.'라는 뜻을 가집니다. 따라서 '새처럼'과 어울리도록 ㉠에는 '마치'가 들어가야 알맞습니다.

왜 틀렸을까?
②: '비록'은 '-ㄹ지라도', '-지마는'과 함께 쓰여 '아무리 그러하더라도.'라는 뜻을 가집니다.
③: '결코'는 '아니다', '없다', '못하다' 따위와 함께 쓰여 '어떤 경우에도 절대로.'라는 뜻을 가집니다.
④: '만약'은 '-라면' 따위와 함께 쓰여 '혹시 있을지도 모르는 뜻밖의 경우에.'라는 뜻을 가집니다.
⑤: '왜냐하면'은 '때문이다' 따위와 함께 쓰여 '왜 그러냐 하면.'이라는 뜻을 가집니다.

4 이 글에서는 고구려, 신라, 가야를 세운 왕이 알에서 태어났다고 전해 내려오는 이야기가 사실인지에 대해 설명하고 있습니다. 고주몽, 박혁거세, 김수로가 알에서 태어났다고 하는 까닭은 왕이 특별한 인물이라는 것을 강조하기 위해 꾸민 것일 뿐, 실제로 일어난 일은 아닙니다.

118쪽

똑똑한 하루 독해 어휘

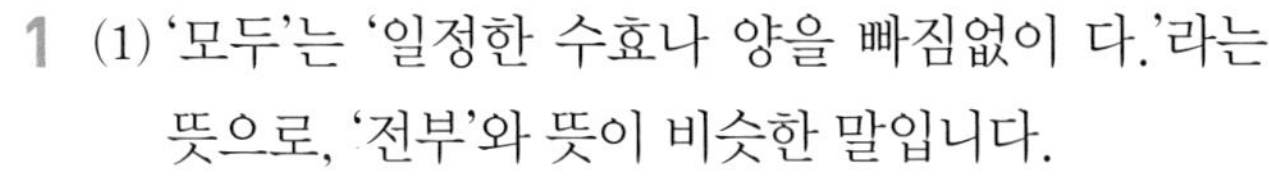

1 (1) 전부 (2) 사실 (3) 연관 (4) 임금　2 나라

1 (1) '모두'는 '일정한 수효나 양을 빠짐없이 다.'라는 뜻으로, '전부'와 뜻이 비슷한 말입니다.
(2) '정말'은 '거짓이 없이 말 그대로임. 또는 그런 말.'이라는 뜻으로, '사실'과 뜻이 비슷한 말입니다.
(3) '관련'은 '둘 이상의 사람, 사물, 현상 따위가 서로 관계를 맺어 매여 있음. 또는 그 관계.'라는 뜻으로, '연관'과 뜻이 비슷한 말입니다.
(4) '왕'은 '나라를 다스리는 우두머리.'라는 뜻으로, '임금'과 뜻이 비슷한 말입니다.

2 '고구려', '신라', '가야'를 모두 포함할 수 있는 말은 '나라'입니다.

119쪽

똑똑한 하루 독해 게임

(1) 고구려 (2) 신라 (3) 가야

○ (1) 고주몽이 세운 나라의 이름이 들어가야 하므로 '고구려'를 써야 합니다.
(2) 박혁거세가 세운 나라의 이름이 들어가야 하므로 '신라'를 써야 합니다.
(3) 김수로가 세운 나라의 이름이 들어가야 하므로 '가야'를 써야 합니다.

더 알아보기

지도에 나온 나라의 기원
- **고구려**: 우리나라 고대의 삼국 가운데 동명왕 주몽이 기원전 37년에 세운 나라.
- **신라**: 우리나라 삼국 시대의 삼국 가운데 기원전 57년 박혁거세가 지금의 영남 지방을 중심으로 세운 나라.
- **가야**: 신라 유리왕 19년(42)에 낙동강 하류 지역에서 12부족의 연맹체를 통합하여 김수로왕과 그의 형제들이 세운 나라.
- **백제**: 기원전 18년에 온조왕이 위례성을 수도로 정하여 세운 나라.
- **탐라**: 삼국 시대에 제주도에 있던 나라.

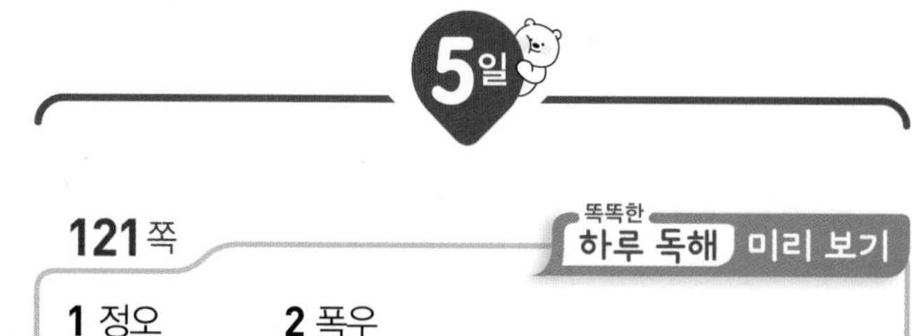

5일

121쪽 똑똑한 하루 독해 미리 보기

1 정오　2 폭우

122쪽~123쪽 똑똑한 하루 독해

1 ②, ③, ④　2 우산이나 비옷을 꼭 챙기는 등　3 (1) ○
4 ❶ 바람　❷ 햇빛

1 오늘 아침에는 빗방울이 조금씩 떨어지다가 정오부터 폭우가 내릴 예정이며 천둥, 번개와 함께 바람도 강하게 불어오겠다고 하였습니다.

왜 틀렸을까?
①, ⑤: 내일의 날씨와 관련된 내용입니다.

2 첫 번째 문단의 마지막 문장을 보고 오늘 외출할 때 주의할 점을 알 수 있습니다.

채점 기준
우산이나 비옷을 꼭 챙기라는 내용을 앞뒤 말과 이어지게 썼으면 정답으로 합니다.

3 햇빛이 강한 날씨라고 하였으므로 햇빛을 막을 수 있는 도구인 '양산'이 들어가야 알맞습니다.

왜 틀렸을까?
(2): 목도리는 온도가 낮고 추운 날에 준비해야 합니다.
(3): 장화는 비가 오는 날에 준비해야 합니다.

4 첫 번째 문단에는 오늘의 날씨가, 두 번째 문단에는 내일의 날씨가 정리되어 있습니다. 오늘은 폭우가 내리며 천둥, 번개와 함께 강한 바람이 불어올 것이라고 하였고, 내일은 화창하고 포근한 날씨로, 한낮에는 햇빛이 강할 것이라고 하였습니다.

124쪽 똑똑한 하루 독해 어휘

1 (1) 낮다　(2) 높다　2 (1) 오전　(2) 오후

1 (1) '낮다'는 '높낮이로 잴 수 있는 수치나 정도가 기준이 되는 대상이나 보통 정도에 미치지 못하는 상태에 있다.'라는 뜻입니다.
(2) '높다'는 '수치로 나타낼 수 있는 온도, 습도, 압력 따위가 기준치보다 위에 있다.'라는 뜻입니다.

왜 틀렸을까?
'작다'와 '크다'는 길이, 넓이, 부피 등을 말할 때 사용하는 말입니다.

2 (1) 그림에 해가 떠 있으므로 '오전'이 알맞습니다.
(2) 그림에 해가 지고 있으므로 '오후'가 알맞습니다.

125쪽 똑똑한 하루 독해 게임

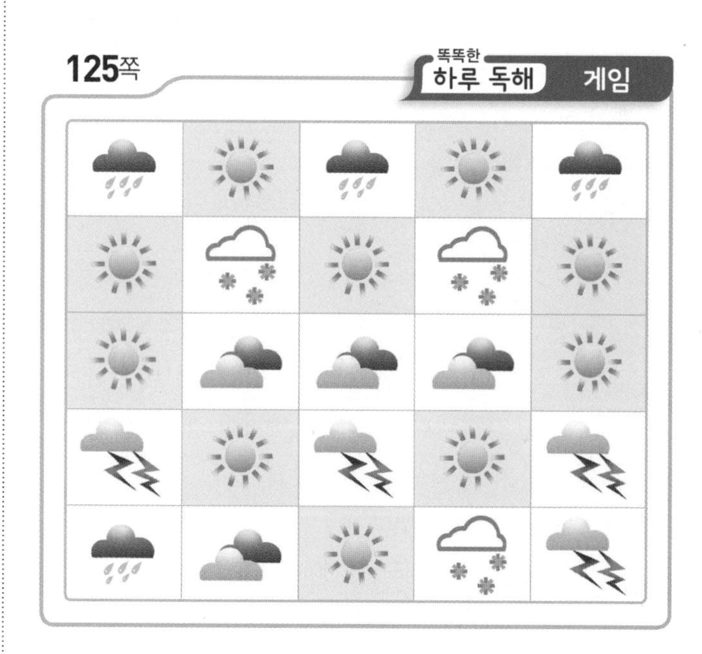

● 맑은 날씨를 나타내는 기호는 해 모양이므로 해 모양이 나타난 기호를 찾아 색칠해 봅니다.

126쪽~127쪽 평가 누구나 100점 테스트

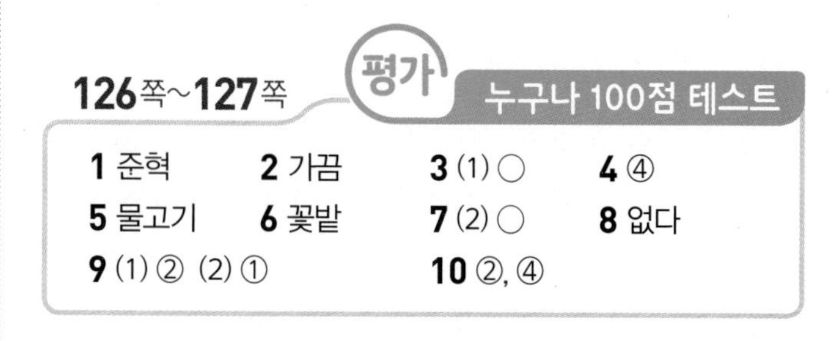

1 준혁　2 가끔　3 (1) ○　4 ④
5 물고기　6 꽃밭　7 (2) ○　8 없다
9 (1) ②　(2) ①　10 ②, ④

1 이 글은 인천에 있는 차이나타운을 다녀와서 여행한 경험에 대해 쓴 글입니다.

2 '종종'은 '시간적·공간적 간격이 얼마쯤씩 있게.'라는 뜻이므로, '가끔'과 바꾸어 쓸 수 있습니다.

왜 틀렸을까?
'평소'는 '특별한 일이 없는 보통 때.'라는 뜻으로 '평상시'와 뜻이 비슷한 말입니다.

3 ㉡은 전시관에 가서 눈으로 보면서 알게 된 것이므로 '본 것'에 해당합니다.

4 이 글에서 가장 많이 나오고 중요한 낱말은 '부리'입니다. 따라서 새의 부리에 대해 설명하고 있다는 것을 알 수 있습니다.

5 사진에 보이는 새는 위로 휘어진 부리를 가지고 있는 '뒷부리장다리물떼새'입니다. 글을 통해 부리가 위로 휘면 얕은 물에 사는 물고기를 잡아먹을 때에 물의 바닥에 부리가 부딪혀도 부러질 염려가 없다는 것을 알 수 있습니다.

왜 틀렸을까?
- **딱딱한 곡식**: 딱딱한 곡식을 먹는 새의 부리는 짧고 단단합니다.
- **땅에 사는 동물**: 육식을 하는 새의 부리는 매우 튼튼하고 갈고리처럼 날카롭게 휘어져 있습니다.

6 '나'와 아빠가 만든 것은 채송화, 봉숭아, 나팔꽃이 피어 있는 꽃밭입니다.

7 '나'는 아빠와 만든 꽃밭을 보며 아빠를 생각하고 있습니다. 따라서 아빠를 그리워하고 사랑하는 마음을 가졌다는 것을 알 수 있습니다.

8 옛날에는 왕이 특별한 인물이라는 것을 강조하기 위해 알에서 태어났다고 꾸몄습니다. 따라서 실제로 사람이 알에서 태어나는 일은 일어난 적이 없다는 사실을 알 수 있습니다.

9 '신성한'은 '함부로 가까이할 수 없을 만큼 고결하고 거룩한.'이라는 뜻이고, '특별한'은 '보통과 구별되게 다른.'이라는 뜻입니다.

10 이 글은 일기 예보로, 오늘의 비 소식을 전하고 있습니다. 정오에 폭우가 내린다고 하였으므로 낮에 외출할 때에는 우산과 비옷을 챙겨야 알맞습니다.

128쪽~133쪽

1 ❶ 특별 ❷ 폭우 ❸ 염려
2 (1) ○
3 (2) ○
4 (1) 빌릴 (2) 그날 (3) 만들
5 (1) ① 상 의 ② 백 의
(2) 好 衣 好 食

1 3주에서 배운 낱말을 떠올리며 알맞은 답을 만화에서 찾아 써 봅니다.

2 '→ 방향으로 1칸 움직이기, ↓ 방향으로 1칸 움직이기'를 세 번 반복하면 음식점에 도착할 수 있습니다. 코딩 명령에 따라 이동하면 다음과 같습니다.

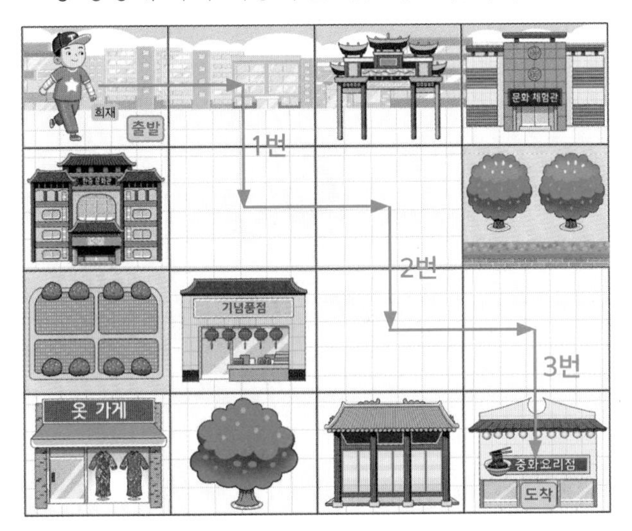

3 낮 최고 기온은 13~15도라고 하였으므로 온도계에서 12~16도 옆에 그려진 옷의 종류를 입으면 알맞습니다. 이에 따라 알맞게 옷을 입은 친구는 (2)입니다.

4 '도서 대출 안내'는 도서관에서 책을 빌릴 수 있는 방법을 알려 주고 있는 글입니다. 회원증은 당일에 만들 수 있는데, '당일'은 '일이 있는 바로 그날.'이라는 뜻입니다.

5 (1) '상의(上衣)'는 '위에 입는 옷.'이라는 뜻이고, '백의(白衣)'는 '물감을 들이지 않은 흰 빛깔의 옷.'이라는 뜻입니다.
(2) 빈칸에 들어갈 말은 衣 자입니다. '호의호식'은 남부럽지 않게 풍요로움을 누리고 있는 상황에서 쓸 수 있는 한자 성어입니다.

4주 정답 및 해설

136쪽~137쪽 4주에는 무엇을 공부할까? ❷

1-1 금세	1-2 금세
2-1 (1) ○	2-2 부상

1-1 '금새'는 '물건의 값.'이라는 뜻이고, '금세'는 '지금 바로.'라는 뜻입니다. 머리를 잘라서 지금 바로 짧은 머리가 되었다는 뜻이므로 '금세'가 맞습니다.

1-2 아침부터 내리던 눈이 '지금 바로' 온 마을을 뒤덮었다는 뜻이므로 '금새'를 '금세'로 고쳐야 합니다.

2-1 '부상'은 '몸에 상처를 입음.'이라는 뜻입니다. (2)는 '위협'의 뜻에 해당합니다.

2-2 프랑스 선수의 반칙으로 오른쪽 발목에 상처를 입었다는 뜻이므로 빈칸에 '부상'이 들어가야 알맞습니다.

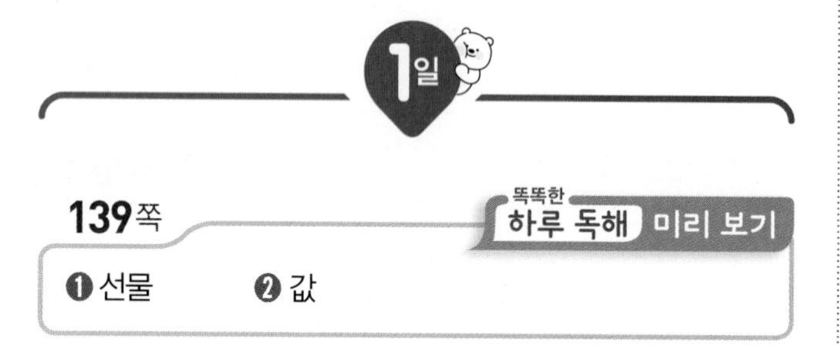

1일

139쪽 똑똑한 하루 독해 미리 보기

❶ 선물 ❷ 값

140쪽~141쪽 똑똑한 하루 독해

1 소년 **2** ① **3** 선물을 받고 기뻐할 짐의 얼굴 등 **4** ❶ 머리털 ❷ 시곗줄

1 델라는 금세 짧은 머리의 개구쟁이 소년 같은 모습이 되었다고 하였습니다.

2 마음에 쏙 드는 물건을 찾기가 어려웠던 델라가 마침내 짐에게 꼭 어울리는 선물을 찾아낸 것이므로, 기쁜 마음이 들었을 것입니다.

3 델라는 선물을 받고 기뻐할 짐의 얼굴이 떠올라 집으로 돌아가는 발걸음이 가벼웠다고 하였습니다.

> **채점 기준**
> '선물을 받고 기뻐할 짐'이라는 내용이 들어가게 썼으면 정답으로 합니다.

4 이 글에서는 장소가 미용실에서 시내의 상점으로 변하고 있습니다. 먼저 미용실에서 델라는 머리털을 잘라 팔고 20달러를 받았습니다. 그 뒤 시내의 상점으로 나온 델라는 백금으로 만든 시곗줄을 산 뒤에 집으로 돌아갔습니다.

142쪽 똑똑한 하루 독해 어휘

1 (1) 같다 (2) 갖고 **2** (1) 소녀 (2) 팔다

1 (1) '다른 것과 비교하여 그것과 다르지 않다.'라는 뜻으로 쓰는 말인 '같다'가 들어가야 알맞습니다.
(2) '손이나 몸 따위에 있게 하고.'라는 뜻으로 쓰이는 '갖고'가 들어가야 알맞습니다.

> **더 알아보기**
> **소리가 같지만 뜻이 다른 낱말이 사용되는 경우를 알면 좋은 점**
> • 상황에 따라 낱말의 정확한 뜻을 파악할 수 있습니다.
> • 상황에 알맞은 낱말을 잘 사용할 수 있습니다.

2 (1) '소년'은 '어린 사내아이.'라는 뜻이고, '소녀'는 '어린 여자아이.'라는 뜻으로 뜻이 반대입니다.
(2) '사다'는 '값을 치르고 어떤 물건이나 권리를 자기 것으로 만들다.'라는 뜻이고, '팔다'는 '값을 받고 물건이나 권리 따위를 남에게 넘기거나 노력 따위를 제공하다.'라는 뜻으로 뜻이 반대입니다.

> **왜 틀렸을까?**
> '남자'는 '여자'의 반대말이고, '웃다'는 '울다'의 반대말입니다.

143쪽 똑똑한 하루 독해 게임

달러는 (일본 , 중국 , (미국))에서 사용하는 돈의 단위이다.

• 돈의 단위로 '달러'를 사용하는 곳은 미국입니다. 일본에서는 돈의 단위로 '엔'을 사용하고, 중국에서는 돈의 단위로 '위안'을 사용합니다.

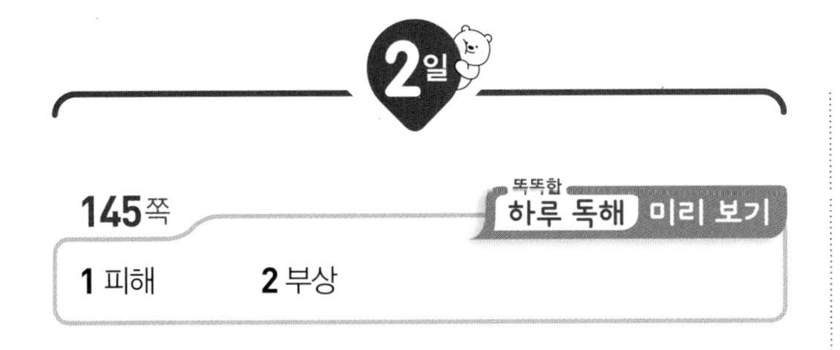

145쪽 똑똑한 하루 독해 미리 보기

1 피해　　2 부상

146쪽~147쪽 똑똑한 하루 독해

1 (1) ×　　2 친환경 빨대를 개발하려는 등　　3 ①
4 ❶ 플라스틱　❷ 재활용　❸ 피해

1 두 번째 문단에서 플라스틱 빨대는 재활용하기 힘들어 자원이 낭비된다고 하였습니다. 제대로 씻지 않은 채로 재활용된다는 내용은 나와 있지 않습니다.

왜 틀렸을까?

(2): 세 번째 문단에서 버려진 플라스틱 빨대의 조각을 새가 먹어 생명의 위협을 받기도 한다고 하였습니다.

(3): 세 번째 문단에서 버려진 플라스틱 빨대가 바다로 흘러가면 떠다니다가 바다 생물의 몸에 꽂혀 바다 생물에게 큰 부상을 입힐 수 있다고 하였습니다.

2 마지막 문단에서 최근에는 플라스틱 빨대를 대신할 친환경 빨대를 개발하려는 노력도 나타나고 있다고 하였습니다.

채점 기준
친환경 빨대를 개발한다는 내용을 앞뒤 말에 잘 이어지게 썼으면 정답으로 합니다.

3 ㉠의 뒤에는 의견에 대한 첫 번째 까닭이 들어가고, ㉡의 뒤에는 의견에 대한 두 번째 까닭이 들어가므로 ㉠에는 첫째, ㉡에는 둘째가 들어가야 합니다.

4 이 글의 처음 부분에는 우리는 플라스틱 빨대의 사용을 줄여야 한다는 의견이 나타나 있습니다. 그리고 가운데 부분에는 우리가 플라스틱 빨대의 사용을 줄여야 하는 까닭으로 플라스틱 빨대는 재활용하기 힘들어 자원이 낭비된다는 내용과 플라스틱 빨대는 여러 생물에게 피해를 준다는 내용을 제시하였습니다. 마지막 부분에서는 플라스틱 빨대의 사용을 줄이는 데 동참하자는 의견을 다시 강조하였습니다.

148쪽 똑똑한 하루 독해 어휘

1 (1) ③　(2) ①　(3) ②　　2 개발

1 (1) '줄여야'는 '수나 분량을 본디보다 적게 하여야.'라는 뜻이고, '늘려야'는 '수나 분량, 시간 따위를 본디보다 많아지게 하여야.'라는 뜻이므로 서로 뜻이 반대인 말입니다.
(2) '좁아'는 '너비가 작아.'라는 뜻이고, '넓어'는 '너비가 커.'라는 뜻이므로 서로 뜻이 반대인 말입니다.
(3) '얇아'는 '두께가 두껍지 않아.'라는 뜻이고, '두꺼워'는 '두께가 보통의 정도보다 커.'라는 뜻이므로 서로 뜻이 반대인 말입니다.

2 친환경 빨대는 기존에 없던 물건인데, 새롭게 만들려고 하는 것이므로 빈칸에는 '개발'이 들어가야 알맞습니다.

149쪽 똑똑한 하루 독해 게임

(2) ○

● 물음표가 그려진 칸에 종이 빨대 그림이 들어가야 빙고 세 줄을 완성할 수 있습니다. 빙고 세 줄이 완성된 모습은 다음과 같습니다.

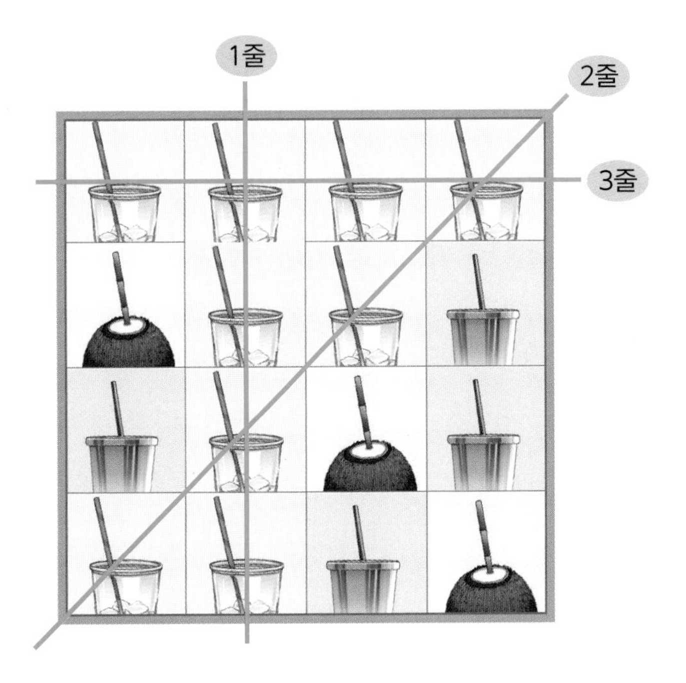

4주 정답 및 해설

3일

151쪽 똑똑한 하루 독해 미리 보기

❶ 장수 ❷ 구경

152쪽~153쪽 똑똑한 하루 독해

1 ③ 2 얼굴만 내밀고 지팡이를 굴린다. 등
3 (2) ○ 4 ❶ 올빼미 ❷ 제비

1 ㉠은 누군가 자신을 부르는 소리가 들리는데 암만 찾아도 모르겠다는 내용의 말이므로, 어리둥절한 말투로 말하는 것이 어울립니다.

왜 틀렸을까?
①, ②: 좋은 일이 있을 때 어울리는 말투입니다.
④: 샘나는 일이 있을 때 어울리는 말투입니다.
⑤: 어떤 일에 자신이 있을 때 어울리는 말투입니다.

2 ㉡의 앞에서 인물의 몸짓을 직접 알려 주는 부분을 찾아봅니다. '(숲속에서 얼굴만 내밀고 지팡이를 굴리며)'에 올빼미가 ㉡을 말하며 해야 할 몸짓이 직접 나타나 있습니다.

채점 기준
얼굴만 내밀고 지팡이를 굴린다는 내용으로 썼으면 정답으로 합니다.

3 "원, 견딜 수가 있어야지."라는 말에서는 환한 곳에서는 마치 장님 같아서 온 물건이 하나도 보이지 않아 답답해하는 마음이 느껴집니다. 따라서 이 말을 할 때에는 한숨을 쉬는 표정이 어울립니다.

왜 틀렸을까?
(1): 환하게 웃는 표정은 온 물건이 하나도 보이지 않아 답답해하는 마음에 어울리지 않습니다.

4 숲속에 있는 올빼미는 안경 장수 제비를 불러 안경을 구경시키라고 말합니다. 그러자 안경 장수는 환한 곳으로 나오셔서 마음대로 고르시라고 말합니다. 그 말을 들은 올빼미는 환한 곳으로 나가면 온 물건이 하나도 보이지 않아 견딜 수 없다고 말합니다.

154쪽 똑똑한 하루 독해 어휘

1 (1) ③ (2) ① (3) ② 2 비쳐

1 (1) '어디'는 잘 모르는 어느 곳을 가리키는 말이므로, '어디서'는 '어느 곳에서'로 바꾸어 쓸 수 있습니다.
(2) '여기서'는 '이곳에서'로 바꾸어 쓸 수 있습니다.
(3) '거기서'는 '그곳에서'로 바꾸어 쓸 수 있습니다.

더 알아보기
장소를 가리킬 때 쓰는 말
- '여기'와 '이곳'은 말하는 이에게 가까운 곳을 가리키는 말입니다.
- '거기'와 '그곳'은 듣는 이에게 가까운 곳을 가리키는 말입니다.
- '저기'와 '저곳'은 말하는 이나 듣는 이로부터 멀리 있는 곳을 가리키는 말입니다.

2 해가 스스로 빛이 나는 상황이므로 '비쳐'를 써야 알맞습니다.

왜 틀렸을까?
'비춰'가 들어가려면 '난로의 불빛이 마루를 비춰 온다.'와 같이 빛을 내는 대상과 빛을 받는 다른 대상이 나타나야 합니다.

155쪽 똑똑한 하루 독해 게임

주로 밤에 활동하는 올빼미는 눈이 (1) (커서, 작아서) 빛이 적은 곳에서도 잘 볼 수 있고, 눈이 앞쪽에 몰려 있어서 (2) (거리, 속도)를 정확하게 측정할 수 있어요.

- 관찰 기록장의 첫 번째 내용을 통해 올빼미는 눈이 커서 빛이 적은 곳에서도 잘 볼 수 있다는 것을 알 수 있습니다. 그리고 관찰 기록장의 두 번째 내용을 통해 올빼미는 눈이 앞쪽에 몰려 있어서 앞면을 볼 수 있고 거리를 정확하게 측정할 수 있다는 것을 알 수 있습니다.

4일

157쪽 똑똑한 하루 독해 미리 보기

❶ 초가집 ❷ 아궁이 ❸ 널빤지

158쪽~159쪽 똑똑한 하루 독해

1 (1) ○ 2 ③ 3 집 안으로 적당한 햇볕이 들어오도록 한다. 등 4 ❶ 온돌 ❷ 마루 ❸ 처마

1 초가집이나 기와집과 같은 우리나라 집을 '한옥'이라고 부릅니다.

왜 틀렸을까?
(2): 서양식으로 지은 집을 '양옥'이라고 합니다.

2 온돌은 방에 넓적한 큰 돌을 놓고 흙으로 덮은 뒤, 아궁이에 불을 때어 방바닥을 따뜻하게 하는 것입니다. 따라서 우리 조상들은 겨울에는 따뜻한 온돌방에서 지냈다는 것을 짐작할 수 있습니다.

왜 틀렸을까?
'추운', '차가운', '서늘한', '싸늘한'은 온돌방의 기능과 거리가 먼 낱말입니다.

3 처마는 지붕이 벽보다 조금 더 바깥쪽으로 나와 있는 부분이라 위쪽에서 부는 비바람을 막아 줄 뿐 아니라, 1년 내내 집 안으로 적당한 햇볕이 들어오도록 합니다.

채점 기준
집 안으로 적당한 햇볕이 들어오도록 한다는 내용으로 썼으면 정답으로 합니다.

4 이 글에서는 한옥을 온돌, 마루, 처마로 나누어 각 부분에 대하여 설명하고 있습니다. 방에 넓적한 큰 돌을 놓고 흙으로 덮은 뒤, 아궁이에 불을 때어 방바닥을 따뜻하게 하는 것은 '온돌'입니다. 바닥과 사이를 띄우고 널빤지를 깔아 놓은 것은 '마루'입니다. 지붕이 벽보다 조금 더 바깥쪽으로 나와 있는 부분은 '처마'입니다.

160쪽 똑똑한 하루 독해 어휘

1 띄우고 2 (1) 잠 (2) 비

1 마루는 바닥과 사이를 꽤 멀게 하고 널빤지를 깔아 놓은 것이므로 '띄우고'가 들어가야 알맞습니다.

더 알아보기
한옥에 있는 마루의 특징

→ 한옥의 마루는 땅바닥과 널빤지 사이에 빈 공간이 있어 바람이 잘 통하여 시원합니다.

2 (1) '낮'과 '잠'을 합쳐 '낮에 자는 잠.'이라는 뜻을 가진 '낮잠'이라는 낱말을 만들었습니다.
(2) '비'와 '바람'을 합쳐 '바람과 비를 아울러 이르는 말.'인 '비바람'이라는 낱말을 만들었습니다.

161쪽 똑똑한 하루 독해 게임

(1) ㉣ (2) ㉡ (3) ㉠ (4) ㉢

○ 기단을 만들고 주춧돌을 놓는 그림은 (3)이고, 기둥을 세우고 집과 지붕의 뼈대를 만드는 그림은 (2)입니다. 기와로 지붕을 만드는 그림은 (4)이고, 벽과 문을 만든 뒤 방바닥과 마루를 만드는 그림은 (1)입니다.

더 알아보기
기단과 주춧돌
- '기단'은 건축물의 터를 반듯하게 다듬은 다음에 터보다 한 층 높게 쌓은 단입니다.
- '주춧돌'은 기둥 밑에 기초로 받쳐 놓은 돌입니다.

5일

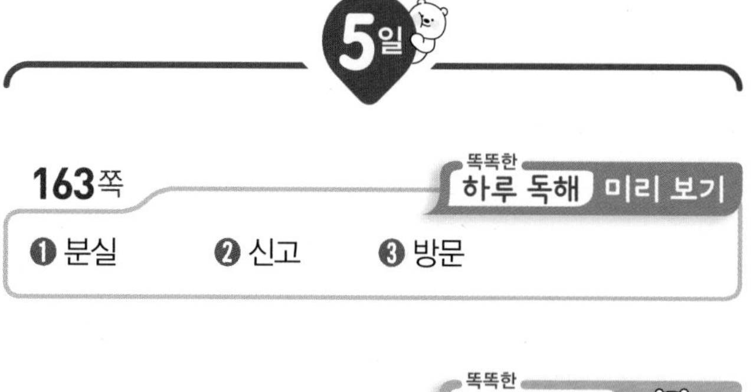

163쪽 똑똑한 하루 독해 미리 보기

❶ 분실 ❷ 신고 ❸ 방문

164쪽~165쪽 똑똑한 하루 독해

1 ② 2 바닥에 있는 번호 등 3 (1) ○
4 ❶ 시간 ❷ 유실물

1 ㉠의 앞부분에 있는 '물건을 잃어버려서'라는 내용이나 '소지품을 분실했다면'과 같은 내용으로 보아 '유실물'은 '잃어버린 물건.'이라는 뜻임을 짐작할 수 있습니다.

2 지하철의 몇 번째 칸에서 내렸는지 알기 위해서는 내린 곳의 바닥에 있는 번호를 확인하면 된다고 하였습니다.

채점 기준
'바닥'과 '번호'라는 낱말을 넣어 자연스럽게 이어지도록 썼으면 정답으로 합니다.

3 ㉡의 사진에 나타난 붉은색 가방의 앞쪽 아랫부분에 주머니가 있다는 것을 확인할 수 있습니다.

왜 틀렸을까?
가방에는 꽃무늬나 세로 줄무늬가 그려져 있지 않습니다.

4 지하철 유실물을 신고할 때에는 지하철에서 내린 역과 시간, 열차 번호를 기억해 두어야 합니다. 또한 지하철의 몇 번째 칸에서 내렸는지 기억해 두어야 하며, 분실물의 특징도 기억해 두어야 합니다. 그리고 이 내용들을 정리하여 지하철 유실물 센터에 신고한 뒤 방문해야 합니다.

166쪽 똑똑한 하루 독해 어휘

1 (1) ② (2) ③ (3) ① 2 (2) ○

1 (1) '걱정'은 '안심이 되지 않아 속을 태움.'이라는 뜻으로, '근심'과 뜻이 비슷한 말입니다.
(2) '소지품'은 '가지고 있는 물품.'이라는 뜻으로, '소유품'과 뜻이 비슷한 말입니다.
(3) '무늬'는 '옷감이나 조각품 따위를 장식하기 위한 여러 가지 모양.'이라는 뜻으로, '문양'과 뜻이 비슷한 말입니다.

2 '지하철에서 내린'과 '버스에서 내린'의 '내리다'는 '탈것에서 밖이나 땅으로 옮아가다.'라는 뜻입니다.

왜 틀렸을까?
(1): '함박눈이 내린'에서 '내리다'는 '눈, 비, 서리, 이슬 따위가 오다.'라는 뜻으로 쓰였습니다.

167쪽 똑똑한 하루 독해 게임

④

● 머리에 착용하는 물건이고, 노란색이 들어 있으며, 초록색이 섞여 있지 않고, 리본이 달려 있지 않으며, 꽃무늬가 있는 것은 ④입니다.

왜 틀렸을까?
①, ⑤: 머리에 착용하고, 노란색이 들어 있으며, 초록색이 섞여 있지 않지만, 리본이 달려 있으므로 정답이 아닙니다.
②: 머리에 착용하는 물건이 아니므로 정답이 아닙니다.
③: 머리에 착용하고, 노란색이 들어 있지만, 초록색이 섞여 있으므로 정답이 아닙니다.

168쪽~169쪽 평가 누구나 100점 테스트

1 미용실 2 ⑤ 3 (1) ○ 4 (1) ×
5 ③ 6 (1) ○ 7 지원 8 (2) ○
9 (1) ㉡ (2) ㉠ 10 분실물

1 델라는 미용실에서 머리를 자른 뒤에 남편의 선물을 사러 시내의 상점으로 이동하였습니다.

2 델라는 남편 짐에게 줄 선물을 사기 위해 시내의 상점을 돌아다녔습니다.

3 '여간 어려운 일이 아니다.'는 '매우 어려운 일이다.'라는 뜻입니다. '여간'은 '그 상태가 보통으로 보아 넘길 만한 것임을 나타내는 말.'이라는 뜻으로 주로 '아니다'라는 말과 함께 쓰입니다.

4 플라스틱 빨대가 재활용하기가 힘들다는 것은 생물에게 직접적으로 주는 피해는 아닙니다.

5 '동참'이란 '어떤 모임이나 일에 같이 참가함.'이라는 뜻으로 '함께하자'라는 말과 바꾸어 쓸 수 있습니다.

6 제비는 안경 장수로, 안경을 파는 직업을 가졌습니다.

7 제비가 어디서 자신을 부르는지 잘 모르는 상황이므로, 고개를 좌우로 움직이며 어리둥절한 표정을 짓는 것이 알맞습니다.

왜 틀렸을까?

고개를 푹 숙이고 기운 없는 표정을 지어야 하는 상황은 속상한 일이 있었거나 자신감을 잃었을 때 어울립니다.

8 처마와 마루 등이 있는 (2)가 한옥집의 모습입니다.

왜 틀렸을까?

(1)은 움집으로, 땅을 파서 바닥을 다진 뒤 기둥을 세우고 풀이나 갈대, 짚 등을 덮어 만든 집입니다.

9 우리 조상들은 겨울에는 따뜻한 온돌방에서 지내고, 여름에는 시원한 마루에서 낮잠을 즐겼다고 하였습니다.

10 '유실물'이란, '잃어버린 물건.'이라는 뜻으로, '자기도 모르는 사이에 잃어버린 물건.'이라는 뜻의 '분실물'과 뜻이 비슷합니다.

170쪽~175쪽

1 ❶ 신고 ❷ 피해 ❸ 구경
2 기후
3 안경, 가방
4 (1) 학교 (2) 시장 (3) 어려운
5 (1) ① 질 문 ② 설 문
(2) 東 問 西 答

1 4주에서 배운 낱말을 떠올리며 알맞은 답을 만화에서 찾아 써 봅니다.

2 각 나라의 여러 가지 집은 더운 날씨에는 더위를 막아 주는 형태, 추운 날씨에는 추위를 막아 주는 형태로 지어졌습니다. 집은 그 나라의 기후와 관련이 있다는 것을 알 수 있습니다.

3 '출발' 칸에서 오른쪽으로 세 칸을 간 다음, 아래로 세 칸을 내려오는 동안 줍는 물건은 안경과 가방입니다. 코딩 명령에 따라 움직이면 다음과 같습니다.

4 개교 30주년 기념 행사란 학교가 세워진 지 30년이 된 것을 기념하여 하는 행사를 말합니다. 바자회란 공공 또는 사회사업의 자금을 모으기 위하여 벌이는 시장으로, 바자회에서는 시장처럼 물건을 사고팝니다. 그리고 수익금은 불우 이웃 돕기 성금으로 사용된다고 하였으므로 어려운 사람들을 위해 사용된다는 뜻입니다.

더 알아보기

- **수익금(收益金)**: 이익으로 들어오는 돈.
- **성금(誠金)**: 정성으로 내는 돈.

5 (1) ① 질문(質問): 알고자 하는 바를 얻기 위해 물음.
② 설문(設問): 조사를 하거나 통계 자료 따위를 얻기 위하여 어떤 주제에 대하여 문제를 내어 물음. 또는 그 문제.
(2) '동문서답(東問西答)'은 '물음과는 전혀 상관없는 엉뚱한 대답.'을 뜻합니다. 빈칸에 들어갈 말은 問(물을 문) 자입니다.

memo

정답은
이안에
있어!